De man en zijn fiets

Amice,

2010 'een jaar met een gitzwarte
rand'

Maar door de tranen heen
rest dankbaarheid & warmte.
Je vader is dood,
   ik neem hem mee in mijn leven!

opnaar 2011
jè maat
Loch

Wilfried de Jong

De man en zijn fiets

Wielerverhalen

Uitgeverij Podium
Amsterdam

Eerste druk april 2009
Tweede druk april 2009
Derde druk mei 2009
Vierde druk juni 2009
Vijfde druk juli 2009
Zesde druk augustus 2009
Zevende druk december 2009
Achtste druk maart 2010 (goedkope editie)
Negende druk april 2010 (goedkope editie)
Tiende druk september 2010 (goedkope editie)

Omslagontwerp Studio Ron van Roon
Foto omslag Stephan Vanfleteren
Typografie Sander Pinkse Boekproductie

ISBN 978 90 5759 414 4

Verspreiding voor België: Van Halewyck, Leuven

www.uitgeverijpodium.nl
www.wilfrieddejong.nl

Voor Gina La Buffa

Inhoud

Mist op de Ventoux

Snot. Ik moest van het snot in mijn neus af. Mijn rechterhand deed dienst als zakdoek. Ik snoot. Hard. De gaten stonden weer open, frisse septemberlucht prikkelde achter mijn ogen. Ik slingerde het snot van mijn vingers en keek opzij. Het dal lag al een flink stuk onder me. De eerste vijf kilometer van de Mont Ventoux zaten erop. Ongeveer een kwartier gefietst.

Ik nam een slok uit mijn voorste bidon. De weeïge smaak van de dorstlesser bleef achter in mijn keel. Naast me reed de huurauto met achterin mijn tienjarige zoon Sonny. Hij had het raampje opengeschoven en hing naar buiten.

'Hier stijgt het zes procent, straks wordt het tien, papa,' zei hij rustig, als een nieuwslezer die de feiten van de dag aan de kijker meldt.

'Oké, bedankt,' zei ik. Mijn bidon zat weer in de houder.

In Nederland was ik gewaarschuwd door vrienden. Na de eerste zes kilometer zou er een scherpe haarspeldbocht naar links komen, daarna begon de steile klim van de Mont Ventoux pas echt.

Nog honderd meter tot de bocht.

De Mont Ventoux is veruit de hoogste berg in de Provence. Bijna twee kilometer. De top had ik nog niet gezien. Bij het vertrek uit het dorpje Bédoin had er een hardnekkige wolk omheen gehangen.

Mijn knieën kwamen om en om omhoog. Om meteen weer richting asfalt te zakken. Tussen mijn benen door zag ik hoe de ketting voor op het kleine blad lag en achter op het twee na lichtste tandwieltje. 34 tandjes voor, 23 achter. Ik kon onderweg, als het te zwaar trappen werd, nog twee keer besluiten de ketting op een lichter tandwieltje te zetten, op de 26 of de 29.

Nog vijftig meter en ik zou moeten schakelen, vlak voor de haarspeldbocht.

Deze klim had ik mezelf cadeau gedaan. Ik werd vijftig. Dat moest je op gepaste wijze vieren. Zonder taart, zonder bezoek aan huis. Op een fiets. Met hooguit een paar vrienden in de buurt. Benny en Rob wilden wel mee. Twee mannen die zouden toezien hoe hun vriend zich op de Ventoux in het zweet werkte. Vanuit de auto. Benny vond alles best, als we in het weekend maar goed zouden gaan eten. Hij bestuurde de gloednieuwe Renault die we op het vliegveld van Nice hadden gehuurd.

Rob zat samen met Sonny achterin. Fietsen was niet zijn terrein. Hij liep liever een wekelijks rondje om zijn eigen wijk in Amsterdam.

Sonny was de eregast op mijn feestje. Hij filmde me met zijn eigen, kleine videocamera. Thuis zou hij op de computer voor mijn verjaardag een filmpje monteren.

Benny draaide de auto de bocht al in. Het hoofd van Sonny, dat nog steeds uit het raam stak, zag ik achter rotsblokken verdwijnen.

Snel, nog een slok. Ik trok de bidon los en kneep erin. De straal schoot in mijn mond. Te veel. Het overtollige vocht kletterde op het asfalt. Zou je net zien dat ik die slok straks tekortkwam in de laatste kilometers naar de top.

De motor van de auto ging hogere toeren draaien. Het werd steil, dat was duidelijk.

Hoewel ik de buitenkant van de bocht reed, nam in luttele meters de spanning op mijn dijbenen toe. Mijn traptempo zakte aanmerkelijk. Voor me lag het beruchte bos waarin zoveel recreanten moedeloos afstappen na kilometers klimmen. Het deed me denken aan de dunne bossen die ik vroeger langs mijn modelspoor maakte; naast de rails strooide ik gruis uit over een strook die ik met lijm had ingesmeerd. Daarop zette ik een handvol plastic dennenboompjes waar de locomotief tussendoor kon.

De volgauto liet zich zakken en reed weer naast me. Sonny filmde van heel dichtbij mijn eerste meters door het bos. Ik zag dat hij op het uitklaptafeltje voor zich een fotokopie van de stijgingspercentages per kilometer had geplakt.

'Papa, dit is het bos, hè?'

Ik knikte, hijgend.

'Straks wordt het tien procent,' zei hij, terwijl hij me bleef filmen.

Ik schakelde naar een lichter verzet. Het gaf enige verlichting in mijn benen. De ketting was achter van 23 op 26 tandjes gewipt. Dit was de zesde kilometer van de klim op de Ventoux. Nog vijftien kilometer te gaan. Mijn tandwiel met 29 tandjes had ik nog niet gebruikt. Ik hield reserve.

In de jaren zeventig was Lucien Van Impe een begenadigd Belgisch wielrenner. Hij had het ideale postuur om bergen te beklimmen. Zes keer won hij het bergklassement in de Tour de France. Zodra het wegdek omhoogliep, zag je Van Impe met een soepele tred naar voren komen in het peloton. Ik herinnerde me hoe hij na afloop van een loodzware bergetappe van zijn fiets sprong. Zo fris als een hoen. Terwijl hij een microfoon voor zijn mond kreeg, pakte de mecanicien van zijn ploeg de fiets aan. Het mannetje, de poetsdoek hangend uit zijn broekzak, keek naar de tandwieltjes van het achterwiel. Hij kon zien dat Van Impe het lichtste tandwiel niet had gebruikt. Er zat geen smeer op van de ketting. 'Lucien is in goeden doen, zijn 22 is nog helemaal schoon,' meldde de mecanicien triomfantelijk voor de televisiecamera.

Mijn 29 moest ook maar zo lang mogelijk schoon blijven. Het is een simpel spelletje met je geest. Zolang je niet op de 29 overstapt, kom je boven. Ben je een hele vent. Geen denken aan dat ik naar de 29 zou schakelen. Dan had ik niets meer over. Dan moest ik afstappen. En afstappen kon niet. Mocht niet. Ik zou het mijn vrienden, maar vooral mezelf niet kunnen uitleggen.

Ik kreeg mijn ademhaling iets beter onder controle. Voor me lag de steile weg, die met flauwe bochten door het bos liep. Nergens zag ik een vlak stukje. Integendeel, verderop werd het alleen maar erger. Daar lagen de meters met een stijging van tien procent.

'*Bonjour, ça va?*'

Van schrik zwenkte mijn voorwiel een halve meter naar rechts.

Een stevige man met een opgewekt gezicht passeerde me rakelings. Zijn tempo lag beduidend hoger.

'*Oui, oui,*' antwoordde ik hijgend.

Over de kortgeschoren nek liep een stroompje zweet zijn lichtgele shirt in. *Cacahuettes* las ik op de achterkant, het woord stond boven een afbeelding van een blikje pinda's. Idioot. Wie droeg er nu het shirt van een pindafabrikant? Pinda's. Slechter voedsel kon een wielrenner niet krijgen. Je maalde het niet weg. Te droog, te vet, te zout.

Cacahuettes reed bij iedere trap zo'n twintig centimeter bij me vandaan. Niet laten opnaaien, eigen tempo blijven rijden. Hij kon een zwaarder verzet trappen. Ik liet de pindaman gaan.

Tien procent stijging. Dat was tweeënhalf keer de helling van de Van Brienenoordbrug, die ik bij wijze van training vele keren op en af was gereden.

Het was tien uur 's avonds. Sonny en ik lagen in een ruim twee-persoonsbed in een hotel in het dorp Mazan, op vijftien kilometer van de Mont Ventoux. Benny en Rob waren ieder op hun eigen kamer. We hadden gegeten in het restaurant op de begane grond. Sonny lag met zijn hoofdje boven de lakens. Hij had zijn videocameraatje op het nachtkastje gelegd, naast zijn horloge annex stopwatch.

Met slaperige ogen keek hij me aan.

'Papa, waarom moet je die berg eigenlijk beklimmen?'

'Omdat het een van de moeilijkste bergen is.'

'Waarom neem je dan geen makkelijke berg?'

'Ik wil gewoon kijken of ik deze haal.'

'En als je het niet haalt?'

'Dan baal ik, maar het is niet erg.'

'Dus heel belangrijk is het niet.'

'Ach, het leek me wel mooi, als je vijftig wordt, om dan een heel hoge berg op te fietsen.'

'Op je twintigste verjaardag was het veel gemakkelijker geweest, denk ik.'

'Dat denk ik ook, ja...'

Omhoog willen op een berg is spotten met de zwaartekracht. Het is niet voor niets dat wegenbouwers hun pad zo lang mogelijk door het dal laten slingeren. Pas als het echt niet anders kan, kruipt het asfalt als klimop tegen de bergflanken omhoog.

Op de fiets kun je het zware klimmen bekopen met kramp in je benen. Of, in het ergste geval, geeft je hart een noodsignaal af. Dan komt de dood om de hoek kijken. Dat overkwam de Britse renner Tommy Simpson, vlak onder de top van de Mont Ventoux tijdens een Touretappe in 1967. Hij viel uitgeput van zijn fiets. Simpson verzocht omstanders hem weer op de fiets te zetten. Hij slingerde over het asfalt in de schroeiende hitte. Daarna viel hij om. De Tourarts was snel ter plekke. Hij deed zijn best om

Simpson in leven te houden door mond-op-mondbeademing toe te passen. Het mocht niet baten. Simpson stierf in de helikopter op weg naar het ziekenhuis. Ze vonden alcohol en amfetamine in zijn lijf.

Simpsons dood was een waarschuwing voor alle renners die roofbouw op hun lichaam pleegden. En toch is angst een slechte raadgever. Zonder pijn kom je de Mont Ventoux niet op. Een berg moet je durven aanvallen. Je hoeft je niet te laten kleineren door de natuur.

Afgezien van het geronk van de motor van de Renault was het stil in het bos. Ik hoorde geen vogels meer tussen de bomen. Cacahuettes reed een eindje voor me uit. Hij kwam uit het zadel omhoog en ging op zijn pedalen staan.

Ik reed een rustig tempo. Elf kilometer per uur. Ik moest druk op de trappers houden, anders zou ik problemen krijgen met mijn evenwicht.

De 29 tanden. Eén schakeling met mijn rechterhand en ik zou makkelijker rijden. Nee. Niet doen. Inademen, trappen, uitademen, trappen, inademen, trappen, uitademen.

Verderop stond Cacahuettes nog steeds op zijn trappers. Dat kon geen mens volhouden in dit bos. Een kil bos waar je spieren genadeloos werden leeggezogen.

Er landde een vlieg op mijn bovenarm. Het beestje wreef met zijn voorpoten over elkaar. Luie meelifter. Ik blies in zijn richting. Hij stoorde me. De vlieg trok zich niets van de windvlaag aan en bleef zitten. Het beest moest weg. Ik blies harder en zag het richting het bos vliegen.

'Hoeveel kilometer staat er op je teller, papa?' riep Sonny. De volgwagen reed nu een paar meter voor me uit.

Ik drukte op een toets van het computertje.

'Zes komma drie!'

Het was even stil in de auto. Ik zag hoe Sonny naar het vastgeplakte papier tuurde, naar de route en de stijgingspercentages.

In de berm lag een ingedeukt blikje. Ik herkende het groen en blauw van het drankmerk. Sprite. Veel te zoet voor de Ventoux. Krijg je alleen maar dorst van.

Sonny stak zijn hoofd weer uit het raam. 'Je krijgt bijna die tien procent.'

Het leek wel of Sonny eigenhandig de asfaltstrook steiler draaide. Ik trapte veel zwaarder dan een minuut geleden.

'Hoe lang?' Twee woorden. Meer lukte me niet.

'Wat?' vroeg Sonny.

Ik hijgde en zocht naar het moment dat ik de vraag een woord langer kon maken.

'Hoe lang tien?'

Zijn hoofdje verdween in de auto.

Ik reed rond de negen kilometer per uur.

Kom op. Zo moeilijk was het toch niet? Gewoon met je vinger langs het rijtje met cijfers. Zeg het maar. Hoe lang? Hoe lang tien?

'Ik denk dat het over een kilometer weer negen procent wordt, papa,' hoorde ik eindelijk roepen.

Het asfalt bestond uit zwarte steentjes. Het wegdek leek glad, maar tussen ieder steentje zat een paar millimeter ruimte. Goedbeschouwd reed ik van steentje naar steentje. En daartussen fietste ik in het luchtledige. Nog even en ik zou geloven dat ik over kasseien reed.

Ik rukte de voorste bidon uit de houder en nam een paar flinke slokken. Vocht. Heerlijk. Door het slikken sloeg ik een paar ademhalingen over. Weg ritme. Ik had moeite de fiets onder controle te houden.

Snel duwde ik de bidon terug.

Mijn tempo bleef onregelmatig. Er was geen uitweg meer, de weg bleef maar stijgen. 29 tanden? Nee, nee.

Nog steeds alleen maar asfalt en bomen. Nog steeds geen top.

Bij de start in het centrum van Bédoin waren een paar mannen in fladderende regenjasjes op de fiets naar beneden gedenderd. Terug van de top. Ze hadden rood aangelopen gezichten en opgedroogde spuugvlekken langs hun mond.

'*Froid?*' vroeg ik, met mijn wijsvinger naar boven wijzend.

'*Ça va, ça va!*' riepen ze, met een handgebaar dat van alles kon betekenen.

Het was september; in de fietsenzaak in Bédoin waar ik mijn banden had opgepompt, hingen grote foto's van een witte Mont Ventoux. Fietsers werden tegengehouden op de weg door een gendarme bij een neergelaten slagboom. De bergpas was *fermé*. Dat kon hier gebeuren in maanden dat je het niet verwachtte. De natuur deelde af en toe een tik uit.

'Pap, je haalt het wel, hoor.' Sonny's hoofd hing uit de auto. 'Je hebt je geluksmagneet toch bij je?'

Ik greep naar mijn achterzak waar ik het stalen schijfje voelde zitten, naast de twee flacons vloeibaar voedsel. Ik stak mijn duim omhoog.

Robert Gesink, het natuurtalent van de Raboploeg, beklom deze berg in 2008, via de minder steile kant tijdens de meerdaagse wedstrijd Parijs–Nice. Hij draaide een enorm beentempo. Nadat de kopgroep het dorp Malaucène was gepasseerd, moesten alle klimmers passen. Alleen de Australiër Cadel Evans kon het achterwiel van Gesink volgen. Hij won de eindsprint van de Nederlander.

De Italiaanse coureur Marco Pantani reed tijdens de Tour de France van 2000 de Mont Ventoux alleen op kop. Met een machtige inhaalpoging greep geletruidrager Lance Armstrong de Italiaan in zijn kraag. Zij aan zij reden ze het laatste stuk naar de top. Het tempo van de twee was moordend geweest. Pantani met die opgewonden lichte stijl, op souplesse de pedalen ronddraaiend. En daarnaast de manisch Amerikaanse fietsmachine, de ogen een tikje loensend in het wit weggetrokken gezicht. Boven op de finish drukte Pantani zijn voorwiel als eerste over de streep. Naderhand wilde de Amerikaan graag horen hoe vrijgevig hij was geweest. Hij had zelf ook kunnen winnen.

Gesink, Evans, Pantani, Armstrong.

Ik moest ophouden te denken aan profs. Ik was zelf een vijftiger, sinds vandaag. Een arme ziel die zo nodig moest bewijzen nog sterk genoeg te zijn voor deze klim. Die zijn zoon wilde laten zien dat hij een oersterke vader had, in tegenstelling tot andere vaders die met vetschorten voor de televisie zaten.

'Gaat het?' zei Sonny, na een lange periode van stilte. 'Het is nog zes kilometer door het bos.'

Zes kilometer. Ik dacht aan mijn vaste trainingsroute in de omgeving van Rotterdam en stelde me voor dat die vlakke weg plotseling een helling van tien procent zou zijn.

'Ja. Zwaar.'

'Hoeveel staat er op je meter?'

'Dertien... komma... zeven.'

'Dan is het hier... 8,7 procent.'

Het landschap veranderde niet noemenswaardig. Ik had de indruk steeds hetzelfde stuk te fietsen. Ik zat in een perpetuum mobile. Eeuwig fietsen, nooit finishen.

'Tien procent,' hoorde ik vanuit de wagen.

Ik blies een druppel zweet van het puntje van mijn neus. Nam een slok uit de bidon. Al driekwart leeg. Ik moest uit het zadel komen om het ritme vast te houden. Toen ik weer ging zitten, leek het alsof iemand aan mijn shirt trok.

Liep er iets aan? Ik keek naar mijn voorwiel; de remblokjes raakten de velg niet. En achter, nee, achter ook niet.

Wie forceert in het bos van de Ventoux, moet het verderop bekopen. Zeggen ze. Ik moest niet boven mijn macht fietsen. Dan zou ik het niet halen.

Stiekem de zijkant van de auto beetpakken? Heerlijk. Eén pedaalslag overslaan. Het zou schelen, in mijn benen en in mijn hoofd.

Ik reed een bocht in. Werd het hierna minder steil? Ik keek op. Verderop, rechts in de berm, stond een man naast zijn racefiets. Hij droeg een geel shirt. Cacahuettes. Afgestapt. De pindaman trok het niet meer. Zie je wel? Te snel gestart. Hij hing over zijn fiets. Er zat een natte zweetplek op zijn rug, ter hoogte van het pindablik. Ik was nu vlakbij. De druppels liepen van het rood aangelopen hoofd van Cacahuettes. Op het asfalt lag een plasje kots in dezelfde kleur geel als zijn shirt. Goede reclame voor pinda's.

'*Bonjour!*' riep ik, zo hard mogelijk. Daarna moest ik extra diep ademhalen maar dat had ik er graag voor over.

Cacahuettes keek verschrikt op. Holle ogen van een hulpeloze. Weer dat pindageel, nu als slijm langs zijn mond.

Hij zei niets terug. Ik keek niet meer om.

Ik reed een mooi tempo. Schitterend bos. Prachtig asfalt. Zesentwintig tandjes reed perfect.

'Hier is het negen procent, papa.' De volgauto reed weer naast me.

Negen maar? Prima. Ik kon alles aan na het zien van het afgetobde hoofd van Caca.

Onder mijn wielen flitste in grote blokletters de naam Landis door. Verfletters blijven lang leesbaar op asfalt, zelfs als de naam alweer in de vergetelheid raakt. De Amerikaanse coureur Floyd Landis, toen nog niet op doping betrapt, werd hier een paar jaar geleden aangemoedigd. Een fan had een emmer meegezeuld en voor de etappe met een brede kwast de zes letters geschreven.

Landis, voor hem was er binnenkort vast weer plaats in het vergevingsgezinde peloton.

Ik keek naar de lucht. Het was inmiddels bewolkt. Voor de zekerheid had ik losse armstukken bij me, mocht het de laatste kilometers koud en winderig worden. Vanuit het dal was ik vertrokken in mijn zomerse, brandweerrode Acqua e Sapone-uitrusting.

Het bos werd steeds kaler, ik kon nu tussen de bomen door kijken. Er was niet veel afleiding te vinden. Geen wegspringende herten of marmotten. Moest ik hier al dieper ademhalen om aan genoeg zuurstof te komen?

De auto reed al een uur naast me, in de eerste versnelling. Benny zat achter het stuur. Hij moest zich dood vervelen met dit slakkentempo.

Over ongeveer een kilometer zou ik aankomen bij Chalet Reynard, een parkeerplaats op 1440 meter hoogte met een restaurant ernaast. Mont Ventoux-klimmers hadden me verteld dat het op die plek voor het eerst minder steil is. Je kan er op adem komen voordat je de laatste zes kilometer moet klimmen door het kale maanlandschap.

Benny reed langs, in een iets hoger tempo. Wilde hij voor me gaan rijden?

Ik hoorde een droog schurend geluid.

'Fuckin' hell.' Benny's stem.

De auto was met de neus over de rand van de berg gegleden. Daarachter lag een diep ravijn.

Ik zag het gevaar. 'Sonny, stap uit, Sonny, eruit!'

Sonny duwde het achterportier open en sprong op het asfalt. Rob kwam achter hem aan. Samen stonden ze in de berm.

Waar was Benny? Nog in de auto?

Nee. Hij was er ook uit en stond naast Rob en Sonny.

Ik bleef langzaam doortrappen.

'Fiets maar door, Wil, het komt goed,' hoorde ik Rob roepen. Ze stonden met zijn drieën in de berm.

'Gaat het?' riep ik achterom. 'Is Sonny oké?'

'Ja, we redden het wel hier, rij maar door.'

'Oké. Ik zie jullie straks boven,' schreeuwde ik over mijn schouder en fietste door.

Er kwam een auto met een Frans kenteken de berg af gereden. Er zat een oudere man achter het stuur, een vrouw op de bijrijdersstoel. Ik maakte met een handgebaar duidelijk dat ze langzamer moesten dalen. De man minderde vaart.

Na de eerstvolgende bocht kon ik onze Renault zien staan. Eén meter verder doorgegleden en de auto was het ravijn in gevallen. De situatie drong nu pas goed tot me door.

Rob had naar me geroepen dat ik verder moest. Maar wist hij hoe gevaarlijk de auto daar stond? Een kleine verplaatsing van het gewicht en hij tuimelde alsnog naar beneden.

Ik bleef trappen, al nam mijn tempo af. Ik zag dat de Franse auto was gestopt op de plek van het ongeluk. De man en zijn vrouw stonden te gebaren bij Rob en Benny. Sonny zag ik niet.

De weg steeg nog steeds, maar ik merkte het niet meer. Ik fietste. Punt. Zo vaak ik kon, keek ik tussen de bomen door naar beneden, in de hoop Sonny te zien. De Fransman zat nu op zijn knieën voor de Renault en keek eronder. Weer gebaren.

Mijn computertje stond op veertien kilometer. Nog zeven kilometer naar de top. Als de wolken weg waren, zou ik over een kilometer misschien de witte top van de berg kunnen zien, met als hoogste punt het beroemde witstenen observatorium, dat als een middelvinger arrogant naar de hemel priemde.

De top. Er zou niemand bij gebaat zijn als ik omdraaide. Een keer met één voet op de weg uitrusten, dat kon op mijn leeftijd. Maar omkeren tijdens een beklimming had ik nog nooit gedaan.

Er brandde een zekering door in mijn hoofd. Klein defect in

de hersens. Ik rook de schroeilucht. Wat voor een zak was ik dat ik doorreed? Hoe kon ik mijn tienjarige zoon achterlaten in zo'n gevaarlijke berm?

Mijn voeten stopten met trappen. Ik twijfelde nog, maar mijn stuur ging al naar links. Mijn voorwiel draaide om.

Het afdalen ging vanzelf. Gek gevoel om niet meer te hoeven trappen. Binnen een paar seconden liep mijn snelheid op, van 7 kilometer naar 30, naar 50. Ik moest remmen om de haarspeld goed te nemen.

Piepend kwam ik tot stilstand bij onze Renault. Sonny stond nog steeds op dezelfde plek, in de berm aan de kant van het ravijn. Hij had zijn camera beet en keek kalm uit zijn ogen.

Ik klikte mijn schoenen los van de pedalen en zette ze voor het eerst weer op de grond. Ik legde de fiets in de berm aan de bergzijde. Mijn benen trilden van de overgang van fietsen naar lopen. Mijn dijbenen voelden zwaar en dik.

Ik liep op Sonny af. 'Alles goed?'

Hij stak zijn duim omhoog. Geen spoor van angst.

'Je bent nu wel gestopt, hè?' zei hij.

Dat klopte. Ik was gestopt.

Rob, Benny en het Franse stel stonden midden op de weg. De huurauto was aan de onderkant lelijk geschaafd. Het linkervoorwiel hing over de rand.

'Hoe willen jullie hem loskrijgen?' vroeg ik.

'Als we met een paar man aan de auto gaan hangen en iemand zet hem in zijn achteruit, dan lukt het wel. Dan schiet hij van die rand af,' zei Benny, zichtbaar aangeslagen.

Niemand maakte aanstalten iets te doen. Iedereen was ongedeerd. Het ging alleen nog om het redden van een onbenullige huurauto. Ik wilde weer op de fiets. Door. Doen of ik niet gestopt was.

'Ik ga wel in de auto,' zei ik. 'Zit de sleutel er nog in?'

'Ja,' zei Benny.

Sonny was in de weer met de knopjes van zijn videocamera. Ik liet hem maar, hij stond daar goed, in de berm.

Voorzichtig gleed ik op de bijrijdersstoel van de Renault. Het was een vreemde gewaarwording om alles vanaf die plek te moeten doen.

'Starten, dan de handrem los en van neutraal in zijn achteruit,' riep Benny.

Ik startte de motor. De drie mannen trokken met al hun gewicht aan de auto.

'Ik haal nu de handrem eraf en dan zet ik hem meteen in zijn achteruit. Oké?'

'Oké,' hoorde ik.

'Daar gaat-ie,' riep ik boven het motorgeluid uit. Ik zette de auto in zijn achteruit en gaf een beetje gas. Met geweld trok de motor het loshangende wiel op het asfalt. Meteen begon de Renault achteruit te rollen.

'Remmen, remmen!' riep Benny.

De auto reed steeds sneller achteruit de weg af, slingerend van links naar rechts. Vanaf de bijrijdersstoel kon ik maar met één hand sturen. Het lukte me niet om met mijn linkervoet bij de rem te komen.

Mijn been trilde. Ik hoorde de banden slippen.

Dit ging mis. De huurauto was niet in bedwang te houden. Ik kon niets anders doen dan wachten.

'Remmen!'

Met mijn voet vond ik de rem. Ik trapte het pedaal zo hard mogelijk in. De auto slipte. Ik keek achterom. Door de laatste ruk aan het stuur gleed de Renault op de Franse auto af. Een andere kant opsturen. Te laat. Dit werd een harde dreun. Ik deed mijn ogen dicht en kromp alvast ineen.

Nog een paar meter.

Met een droge klap botste onze auto tegen die van de Fransen. En stond stil.

Iedereen kwam aangehold.

Mijn ogen zochten naar Sonny. Hij stond nog altijd in de berm, de videocamera in zijn hand. Ik zette de auto op de handrem en sprong eruit.

'Gaat het?' vroeg ik.

'Waarom remde je nou niet, papa?'

'Ik kon hem niet houden.'

'Ja, het is hier 9,7 procent.'

Het slipspoor was goed te zien. Zwarte strepen zigzagden over de volle breedte van de weg.

De Fransen, Rob en Benny stonden bij de auto's. Het was wonderbaarlijk. De aanrijding was hard geweest, maar er was geen krasje op de lak te zien. Ik zag nu pas dat de Fransman hetzelfde type auto had. De auto's waren met de identieke vlakke achterkleppen tegen elkaar gekomen.

'We hadden er even wat langer over moeten nadenken,' zei Benny.

Sonny stond naast me. Ik woelde met mijn wielerhandschoen door zijn haar.

De Franse vrouw keek bozig de andere kant uit. Ze wilde weg. Haar man bestudeerde opnieuw de achterkant van zijn auto.

'*Mon anniversaire, moi cinquante, Mont Ventoux avec mon fils et maintenant* boem,' zei ik tegen haar.

'*Ah oui,*' zei ze, quasi-geïnteresseerd, terwijl ze naar haar man keek die op zijn knieën zijn auto inspecteerde.

'Dit had heel fout kunnen aflopen,' zei Benny.

'Als de auto het ravijn in was gevallen, hadden we een probleem gehad,' zei Sonny. Hij glimlachte.

Rob, Benny en ik keken elkaar aan. De opluchting was voelbaar.

'Nou, ik fiets weer door, goed?' Zonder een antwoord af te wachten zette ik mijn fiets op het asfalt, sprong erop en klikte mijn schoenen vast in de pedalen.

Ik reed weer. Het ging makkelijker dan vóór het afstappen. Het was of er twee frisse benen onder mijn lijf gemonteerd waren. Een masseur had de vermoeidheid en de schrik eruit gewreven.

Ik moest eten. Achter in mijn wielershirt zat een flacon met vloeibaar voedsel. Toen ik met mijn linkerhand in de achterzak zocht, gleden mijn vingertoppen langs een rond stukje metaal. De geluksmagneet. Met een afbeelding van beschermheilige Christoffel erop. Vlak voor het weekend had ik het ding op aanraden van Sonny losgetrokken van de stalen asbak in mijn oude Mercedes. 'Brengt geluk,' had hij gezegd.

Met mijn tanden scheurde ik de flacon open en zoog de inhoud naar binnen. Een bittere gel met cafeïnesmaak. De lege flacon propte ik terug in het shirt. Ik nam nog een paar slokken uit mijn voorste bidon. Leeg.

De weg was hier minder steil. Ik kon zelfs een paar tandjes zwaarder schakelen. Er was nog maar weinig groen, ik kwam straks boven de boomgrens. Na een flauwe bocht zag ik in de verte een restaurant liggen. Dat moest Chalet Reynard zijn. Het zag er gesloten uit. De weg was verbreed om bezoekers van het restaurant een parkeerplek te bieden.

Zo buiten het bos had de wind vrij spel. Het werd kouder. Ik trok mijn armstukken omhoog tot aan mijn oksels. Zo'n honderd meter verderop begon de tocht door het maanlandschap.

De weg draaide hier weer schuin omhoog. Nog zes kilometer klimmen.

De beroemde zwart-gele markeringspalen aan de dalkant van de weg gleden aan me voorbij. Hoorde ik de motor van de Renault achter me? Ik keek om. Benny zat achter het stuur, nog steeds met een onrustige blik in de ogen. Hij kwam naast me rijden. Sonny deed zijn raampje open en reikte met zijn hoofd naar buiten. Er stond een blos op zijn wangen.

'De laatste kilometer is straks elf procent, papa,' zei hij.

Flarden nevel waaiden me tegemoet. Ik hijgde. Ging staan. Weer zitten. En weer staan. Het was vechten tegen de zware wind. Het begon mistig te worden. Benny deed de lichten aan. Door Sonny's open raam hoorde ik hem tegen Rob praten. 'Levensgevaarlijk. Ik zie bijna niks meer.'

Het werd steeds donkerder. Gek. Het was half vier in de middag, maar het was of ik de nacht in reed. Het zicht was nog maar twintig meter.

De auto liet zich afzakken.

'Je haalt het wel, papa,' hoorde ik Sonny zeggen. Daarna verdween het geluid van de draaiende motor. Ik hoorde alleen nog het suizen van de wind en mijn eigen hijgen.

29 tanden. Ze zaten weer in mijn hoofd. Weg ermee. Of nee. Doen. Lichter schakelen. Kon mij het rotten. De ketting viel op het grootste tandwiel. Dit was mijn lichtste verzet. Het hielp. Een beetje.

Ik pakte een tweede flacon uit mijn achterzak. Ik kokhalsde toen ik hem in mijn mond leegspoot. Eigenlijk moest je op deze hoogte alleen nog op water en lucht rijden. Midden in deze kale zee van stenen moest dat genoeg zijn. Ik spuugde de helft van de gel op de grond en nam een paar grote slokken uit mijn tweede bidon.

Uitzicht had ik niet. Ik haalde de ansicht van de zomerse Mont Ventoux voor de geest die ik in een kaartenmolen in Bédoin had zien staan: een man in korte broek op bergschoenen kijkt door zijn verrekijker het dal in waar de kerktoren van een dorp bescheiden omhoogsteekt. Gruizige steenslag op de voorgrond. *Bienvenue à La Provence.*

Het zicht werd minder, ongeveer tien meter nu. Hooguit. Hoe ver was het nog? Wacht. De kilometerstand klopte niet meer. De dubbel gereden meters moest ik eraf trekken.

Ik hapte naar adem. Er was minder zuurstof hier. Profs lagen boven op de top soms aan de beademing. Mijn wielen draaiden manisch rondjes in een met helium gevulde reuzenballon.

Achter me hoorde ik een auto naderen. Ik keek om en zag twee ouderwetse koplampen met geel licht dichterbij komen. Een Citroën uit de jaren zestig kroop pruttelend omhoog in de mist.

Door de beslagen ruit heen zag ik een man met zijn neus bijna tegen het raam zitten. Hij droeg een wit wielershirt met korte mouwen. Ik keek weer voor me. Waar was ik precies in het maanlandschap?

De Citroën toeterde. De claxon klonk blikkerig. Ik zag het schijnsel van de koplampen op mijn gespannen kuiten. Ik keek weer om. De man achter het stuur zweette als een otter. Hij veegde het condens van de binnenkant van de voorruit met de voorpagina van een oude *L'Équipe*; ik herkende de rode kopletters van de sportkrant. De bestuurder deed denken aan Tommy Simpson. Holle ogen in een smal gezicht. Wielerpetje sukkelig achterstevoren op het hoofd.

De voorbumper tikte tegen mijn achterwiel. Ik schrok en viel bijna om. Uit het zadel. Evenwicht. De koplampen maakten van mij een vage schaduw op het asfalt. Idioot gezicht. Ik zag mijn lijf, meters lang in de mist heen en weer deinen. De schaduw van mijn hoofd verdween voor me in de mist. Ik wist niet of de druppel aan mijn neus van snot of nevel was.

De man hing nu uit het raampje. Hij kon zijn nek oneindig lang uitschuiven en kwam met zijn mond vlak bij mijn oor.

'*Please, put me back on my bike. Put me back on my bike*,' fluisterde hij.

Ik rook alcohol uit zijn mond.

'Kan niet,' zei ik, happend naar adem.

De motor van de Citroën knalde. Het toerental was absurd hoog. De auto kwam me niet voorbij, al reed ik nog maar acht kilometer per uur.

We zwalkten over het asfalt, hij in zijn oude auto, ik op de fiets.

'Hoever?' vroeg ik.

De man schudde het bezwete hoofd.

Links moest het ravijn liggen. Rechts zag ik een paar meter van de vaalgele steenmassa. Wat mooi. Wat lelijk. Mijn leven werd teruggebracht tot twee ronddraaiende trappers.

Achter me viel de Citroën hortend en stotend stil. De motor sloeg af.

'*Please*,' dacht ik nog een keer te horen. '*Please, put me back on my bike...*' De stem stierf weg. Het werd stil.

Ik keek opzij. Door de mist heen zag ik een schim op zijn knieën een stenen trap nemen. De trap lag bezaaid met bidons, flesjes, blikjes bier en etenszakjes. Er lagen ook foto's tussen, handgeschreven briefjes. '*Miss you, Tom*' las ik op een groot stuk karton. De wind kreeg er vat op. Weg karton.

De schim kroop over de treden naar een sokkel, waarop een marmeren plaat was bevestigd. In het marmer was een wielrenner gefreesd. Het monument was glimmend van de nevel. De schim wilde zich aan het beeld optrekken. De kracht ontbrak. Zijn schoenen gleden weg.

Ik schreeuwde met mijn laatste adem. Door de deken van mist reikte het geluid verder dan ik dacht.

'Tommy!'

Er was geen galm, geen weerklank. Ik balde mijn vuist naar de marmeren plaat. Ter aanmoediging van Simpson en mezelf.

Verdomme, Tom. Neem nog een slok uit mijn bidon. Slik desnoods een pil. Dat doet iedereen op zijn tijd. Kom, we gaan samen verder. Ik laat je niet in de steek. Ik hou je uit de wind. Je vrouw staat boven met boterhammen en warme thee. We zijn er bijna.

Het beeld verdween in de mist. Ik spuugde op de grond.

Hoogte maakte gek.

Ik liet Tommy achter. Ik reed alleen. Solo. Geen tandjes meer over in mijn achterwiel. Ik maakte een bocht naar rechts. Zware druk op mijn benen. 29 tandjes beten in de ketting. Kauwen. Spugen. Nog eens kauwen. Trekken. Hijgen.

Ik wist het. Sonny had het nog gezegd. 'Elf procent, pap.' Sonny. Waar was Sonny?

Dit was de laatste bocht naar de top. Ik stond op mijn trappers. Storm.

Ik zag geen streep. Alles was wit van de mist.

Doorfietsen. Ergens hield de berg op. Ergens was de finish. Elf procent. Eén procent meer dan tien. Twee meer dan negen. Ik moest blijven trappen.

Hé. Het ging makkelijker. Nog makkelijker. Was dit de top? Mijn trappers gingen sneller rond. Dit was de top. Ik remde pas toen ik zeker wist dat ik niet meer steeg. Na eenentwintig kilometer klimmen stond ik op de Mont Ventoux. Bijna twee kilometer hoog. Ik stapte af.

De wind was striemend koud. De natuur zwaaide met de scepter.

De Renault kwam aangereden. Benny zette de motor uit. Sonny stapte uit en liep op me af. Hij had geen ogen meer, alleen beslagen brillenglazen. En toch keek hij blij.

'Door de mist zagen we je op het eind niet meer,' zei hij.

Ik zette mijn fiets tegen een muurtje waarachter een onmetelijke diepte moest liggen. Ik tilde mijn zoon op. Deed me te goed aan de warmte van zijn kleine lijf.

'Wat was je tijd?' vroeg hij.

'Ongeveer twee uur,' antwoordde ik.

'Daar mag zeven minuten af, door het ongeluk. Heb ik uitgerekend met mijn stopwatch.'

'Mooi,' zei ik.

Ach, de tijd. Er was hier boven geen tijd. Tijd had geen zin hier. Ik wilde alleen maar dat levenslustige lijfje dicht tegen me aan.

'Je hebt het gehaald, pap.'

'Ja, goed hè?'

'Met tussenstop,' zei Sonny droog.

Ik zette hem op de grond.

Aan de rand waar je bij helder weer over de Provence uitkeek, stond een stalen paal met een bord erop. *Sommet du Mont Ventoux 1910 m.*

Dit was het dan. Mijn vijftigste verjaardag op een berg zonder uitzicht. Te veel wind voor kaarsjes. Ik hoorde bij de club van oude mannen die met alle beperkingen in hun lijf de Mont Ventoux beklommen hadden. 'Gefeliciteerd, sukkel,' zei ik tegen mezelf.

Ik keek naar Sonny. Hij bibberde.

'Heb je het koud?'

'Een beetje.'

Ik deed de bovenste knoop van zijn jas dicht. Zelf trok ik het windjack aan dat Rob naar me toe gooide.

'We gaan naar beneden,' zei ik.

Ik op de fiets, Sonny in de huurauto in mijn kielzog.

In de schemer daalde ik.

Tommy zat op het zadel van zijn stenen fiets. Hij keek naar de top. Hij moest nog ongeveer anderhalve kilometer. Rond zijn voeten lag voldoende eten en drinken.

Pas bij het lege restaurant van Chalet Reynard werd het zicht beter. Ik dook rechtsaf het bos in.

Onder me flitste een zwart remspoor voorbij. Ik wees met mijn rechterhand naar het asfalt. Zouden ze het in de Renault achter me gezien hebben?

'Je bent nu wel gestopt, hè?' had Sonny gezegd.

Ja. Ik was gestopt. De klok stond stil.

Het was goed zo. Volgend jaar ging ik weer de Mont Ventoux op, besloot ik. Zonder te stoppen.

Ineengedoken daalde ik door het bos. Mijn handen trilden op het stuur. Ik denderde naar beneden. Het ging hard op de steile stukken. Met tranen in de ogen van de wind zag ik de teller één keer op 85,1 kilometer per uur springen. Voor angst had ik geen tijd.

Ik vloog van de maan terug naar moeder aarde.

Munkzwalm

Sommige plaatsnamen vergeet je niet snel. Het was Munk-zwalm. Geen stad, geen dorp, geen gehucht. Nee, Munkzwalm. Een strook Vlaamse kleigrond met een asfaltweg eroverheen. Links een huis, rechts een huis, een slager, een bakker, en voor-uit, nóg een huis. En in de bocht een Mariabeeld dat van pure verlatenheid roestige tranen huilt. Zelfs de bomen schamen zich voor het nietige Munkzwalm en hangen voorover. De groene voorjaarsblaadjes blijven wijselijk in de knop.

Het is op een zondagmiddag in april dat ik er mijn auto par-keer, naast een losstaand bouwsel dat de naam Café Taxi draagt. Nog ruim een uur voordat de Ronde van Vlaanderen langskomt. Ik stap het café binnen. Het is rond twaalven. De kroeg staat al helemaal vol. De waardin, een meter zestig, een schort tot op de grond, tapt bier dat het een lieve lust is. Op heilige wielerdagen willen de Hollanders graag bij de Belgen horen. Dus zeggen ze voor één dag pintje tegen pils. En zeker en vast, terwijl het vast en zeker is.

Taxi heet de kroeg, maar niemand maakt aanstalten om te vertrekken. Hier wil iedereen blijven. Wachten. Stilstaan. De te-levisie kakelt. De Ronde nadert. Het echte spel moet nog begin-nen. Het peloton trekt de jacks nog eens goed dicht. De renners zijn met hun gedachten al bij de kinderhoofdjes op de Molen-berg, de eerste helling van de dag.

Achter de vitrage van het café ligt het parcours, onbereden, onschuldig nog. Ik kijk door het raam en zie de ruggen van toeschouwers langs de weg. Regenjassen. Lange, korte, beige, bruine, zwarte, vieze, gestreken, vrouwelijke met split, mannelijke met zakken.

Alle hoofden boven die regenjassen kijken naar links. Alsof in Munkzwalm een acute epidemie van nekkramp is uitgebroken.

Ik kijk op de klok. Als-ie op tijd loopt, en waarom zou de klok in café Taxi niet op tijd lopen, passeren de renners over een uur Munkzwalm.

Een uur. Een uur nog maar. Een uur voor de Ronde langskomt.

Steeds meer bezoekers van de kroeg trekken naar buiten, naar de rand van de weg. De televisie geeft een beeld van het nog compacte peloton. Ik herken shirts, soms een kop onder een helm.

Het café wordt leger en leger. De waardin geeft me een knipoog en zet een tweede pint voor me neer. Nog even en ik ben alleen met haar. Ze loopt een klapdeurtje door naar een andere ruimte. Vermoedelijk woont ze achter de kroeg. Het vooruitzicht om in een ledikant tegen haar warme batterij aan te liggen, is aanlokkelijk. Maar wacht, drie kwartier nog maar en de renners komen, daar moet alles voor wijken. Munkzwalmse erotiek in Café Taxi, dat doe je jezelf niet aan op een koersdag.

Ik betaal de waardin en loop snel naar buiten. In een iets te moderne winterjas voeg ik me tussen het volk. Het is koud. Waterkoud. Wielerkoud. Verwacht in april tijdens de Ronde van Vlaanderen geen warmte van de kleigrond. Om me heen staan mannen met hun voeten te stampen. Naast me haalt een vrouw met een wielerpetje op haar hoofd een gekookte worst uit een plastic zakje en begint er manisch aan te knagen. Even verderop staat het drie rijen dik bij een klein kereltje met een transistorradio. De commentator tettert overstuur door het speakertje.

Een keer per jaar doet Munkzwalm ertoe. Een keer per jaar is het feest. Een keer per jaar is Munkzwalm op tv. Wereldroem voor Munkzwalm, kilometer 128 van de Ronde.

Wachten op renners is een vak. Wie tijdens de Ronde niet langs de kant heeft gestaan, weet niet wat het is.

Daar is de helikopter. Het geluid van de propeller brengt Munkzwalm in staat van oorlog. Gele vlaggen met leeuwen gaan als bajonetten de lucht in, spandoeken verraden de liefde voor een held. De bevolking van Munkzwalm werpt zich als kanonnenvoer op het asfalt. De lenzen van fototoestellen richten zich op de verte. Daar. Daar moeten de jongens stilaan toch komen.

Eén fototoestel tuurt naar ons. De man knikt. Klikt. Hij gaat zijn gang maar. Wij, het wielervolk, wij hebben het nu even te druk met het rekken van onze nekken.

De helikopter hangt boven onze hoofden, een vrouw met kind zwaait omhoog, naar de familie thuis. Motorrijders met sirenes scheuren voorbij.

Daar komen ze, de renners. Als een lange kameleon verandert het peloton voortdurend van kleur en vorm. Vierhonderd tubes zingen ons toe. Dit is zondagse muziek.

Daar komen ze.

Daar zijn ze.

Dat waren ze.

Het is voorbij, verleden tijd alweer.

Dit was Munkzwalm. We zien nog modderspatten op de billen van een achterblijver. Hij zit na een val scheef op zijn fiets. Bij zijn ellebogen is de huid opengeschaafd. Het vuil van de Ronde zit in de wond. Maar hij moet door. Hij kan niet wachten.

Café Taxi stroomt weer vol.

Een moeder met kind vraagt de waardin of ze in beeld waren.

De waardin heeft niemand herkend. En haar café was niet op tv. Vorig jaar tijdens de Ronde ook al niet.

We drinken weer. We eten. We worden warm. Het lijkt lekker, maar we missen iets. Tv is surrogaat, je ziet alles en dat is saai. Het is bloot, zonder lingerie. Niet alles zien is minstens zo prettig. Wij, het wielervolk, wij fantaseren liever onze eigen koers.

Het tweede glas is leeg. Ik neem afscheid met een knipoog naar de waardin. Tot volgend jaar, lieg ik. Ze lacht haar paar tandjes bloot. Ik rijd met de auto over het parcours. De plek waar we stonden is leeg.

Het Mariabeeld is gestopt met huilen. Een anoniem landschap. Klei, asfalt, hier een huis, daar een huis. Munkzwalm wordt weer langzaam Munkzwalm.

Armstrong fietst

Hij zit weer op het zadel. Hij heeft weer praatjes. Hij wil vooraan rijden. Hij is de baas. Hij is de beste. Hij deelt handtekeningen uit. Hij dolt met journalisten.

De Amerikaan Lance Armstrong is na 1274 dagen terug op aarde, in het peloton.

'Of hij Jezus Christus was?' vroeg een grappende journalist op de persconferentie, voorafgaande aan de start van de ronde van Down Under.

Er verscheen een brede glimlach op het gezicht van Armstrong. 'Ik ben al voor een hoop dingen uitgemaakt in mijn carrière. Ik weet eigenlijk niet of Hij weleens op de fiets heeft gezeten.'

Altijd het onmogelijke nastreven, dat is Lance Armstrong. Meteen Jezus Christus uitdagen naar beneden te komen om op een fiets met houten banden uit de timmerzaak van zijn vader de strijd aan te gaan met de onsterflijke Texaan.

Na zeven eindoverwinningen in de Tour de France en ruim drie jaar rust zat Armstrong er gezond en rustig bij in de perszaal in Adelaide. Hij droeg een zwart T-shirt met het opschrift '*livestrong*'. Want Lance Armstrong fietst niet meer alleen voor zijn sportieve plezier. Hij fietst vooral voor een goed doel: het terugdringen van kanker op de wereld.

Tijdens de persconferentie in Australië stond zijn fiets pontificaal voor de tafel met microfoons. Hij wees op een getal op het frame: 1274. En daarna op een ander getal: 27,5. Ik dacht even dat hij in zijn eentje zoveel dollars had opgehaald voor de kankerbestrijding. Maar het was bedoeld om aan te geven dat er in het Armstrongloze tijdperk — van zijn laatste Touroverwinning eind juli 2005 tot aan de dag van zijn comeback, ongeveer 27,5 miljoen mensen aan 'this disease' stierven.

Zolang Armstrong leeft, meten we het aantal kankerdoden niet meer per kalenderjaar. Nee, we meten per 1274 dagen. Wat zegt het ons? Zijn het er meer dan de 1274 dagen ervoor? En wat is zijn prognose voor de komende 1274 dagen? Halen we de 30 miljoen of blijven we door het kopen van Lance' gele polsbandjes ruim onder de 20 miljoen doden?

Fotograaf Robert Vos won de Zilveren Camera met een foto van de juichende olympische zwemkampioen Maarten van der Weijden, ook ex-kankerpatiënt. 'Een foto die een verhaal vertelt waar mensen over 25 jaar nog over praten,' meldde het juryrapport.

Als het om aandacht voor het goede doel gaat ligt Maarten van der Weijden een lichtjaar achter op Lance Armstrong. Daar waar Armstrong zegt dat je als kankerpatiënt de ziekte kunt helpen bestrijden met een goede instelling, gelooft Van der Weijden meer in nuchtere kansberekening. De een redt het, de ander niet.

Verwacht van Van der Weijden geen zwempakken met het getal 1274 erop genaaid. Hij komt in geen 127.400 dagen meer terug in de zwemsport. Hij verkiest een nieuw leven boven een bestaan als icoon voor de sport en het goede doel. Hij heeft zijn deel gedaan.

Misschien moet de strijd tegen kanker met een *big mouth* à la Armstrong beleden worden. Van der Weijden deed het met 'stille diplomatie'. De Amerikaanse manier versus de Nederlandse.

Daags na de persconferentie sprong Armstrong op de fiets. Er konden rond zijn middel nog een paar pondjes af, zag ik. Hij kwam in de eerste etappe in de schoot van het peloton over de finish. Als 120ste. Normaal gesproken rijdt op die plek een on-bekende renner. Nu wezen alle vingers langs de kant van de weg naar hem. Naar Hem. Of hij met zijn fiets over water reed.

De Jezus Christus van het cyclisme is terug.

Kwakkel

De Vlaamse tv-zender stond aan. Ik wilde weleens horen hoe er over de regerend wereldkampioen veldrijden werd gesproken. Wekenlang was het oorlog geweest tussen de Nederlander Lars Boom en de Belgische renners. De reus tegen de zeven dwergen. Deze zondagmiddag reden ze rondjes door het Brabantse Hoogerheide om uit te maken wie dit jaar de regenboogtrui mocht dragen.

'Samson zelf.'

Lars Boom probeerde in de eerste ronde een weggeglipte Belgische coureur bij te halen en kreeg meteen een eretitel mee van de commentator: Samson. Een perfecte benaming voor de langharige Boom met het oersterke lijf.

Straks zouden de Vlaamse verslaggevers struikelen over hun *instant poetry* wanneer 'nationale vijand voor een dag' Lars Boom als eerste over de finish kwam. De Nederlandse renner had het zelf voorspeld: in Hoogerheide zou hij de wereldtitel prolongeren.

Al in de tweede ronde ging het mis. Boom kon het tempo niet volgen. De Belgische renners vlogen over het bospad. Ze demarreerden en benamen Boom de adem. Werden de blonde manen van Samson nu al afgeknipt?

Boom reed langs de plek waar mecaniciens klaarstonden

met reservefietsen. Hij wees naar zijn fiets, riep een paar onver-staanbare woorden en reed verder. De onrust stond op Booms gezicht. De commentator had het euvel gevonden: 'Er is wat met de voortube.'

Lars Boom ging er niets van bakken. De Belgische commen-tatoren raakten euforisch toen hij bij een volgende passage van fiets wisselde en kostbare seconden verloor op de kopgroep. 'Dit is een klets in het aangezicht.'

Boom gaf zich gewonnen op de dag dat hij beloofd had te winnen. In een bocht in het bos stonden de supporters van dui-venlokaal De Luchtklievers te vernikkelen van de kou. Ze waren getuige van een offday van Boom. 'Slappe kost' heette het op de Belgische tv.

Er was een verslaggever aanwezig langs het parcours. Hij stak zijn microfoon onder de neus van de Nederlandse coach Johan Lammerts: 'Nee, het ziet er niet goed uit. We moeten dit na afloop eens evalueren.'

Na 'voortube', 'aangezicht' en 'slappe kost' kreeg de kijker met 'evalueren' een droog beschuitje in zijn mond geduwd. Een coach aan de kant van een veldrit nam het woord 'evalueren' in de mond terwijl zijn renner nog rondreed. Alsof Lars Boom na afloop moest verschijnen voor een parlementaire commissie.

De Belg Niels Albert reed alleen op kop. Hij ging wereldkam-pioen worden. Kon niet anders. 'Vorig jaar was hij nog aan de kwakkel na een miltscheur,' riep de commentator. Kwakkel met miltscheur. Ik kreeg trek in het wonderlijke gerecht.

De Belgen wonnen goud en brons, het zilver was voor een Tsjech. 'Als puntje bij paaltje komt, is de koers Vlaams,' schalde de tv. Het bleek ook uit de samenstelling van het publiek: van de 50.000 bezoekers in Hoogerheide kwamen er 35.000 uit België.

Twee minuten na de winnaar kwam Lars Boom over de fi-nish. Voor het eerst schakelde ik over naar de Nederlandse zender. Alle aanwezige microfoons stonden als vuistvuurwapens op Boom gericht. Er werd geduwd. De renner keek geïrriteerd om en zei tegen de verslaggevers: 'Hé, jongens, kom op, zeg.' Daarna reed Boom weg. Het contact met de pers ook maar meteen evalueren, dacht ik.

Drie kwartier later was Lars Boom gewassen. Hij vond een paar simpele woorden waarmee ik kon leven: 'Ik ben ook maar een mens.'

Wielerporno

De winkel van Federico Bahamontes is gesloten. De wielerzaak in het historische centrum van Toledo liep niet meer. Na bijna vijftig jaar hield de Spaanse winnaar van de Tour de France 1959 het voor gezien. Het pand heeft een nieuwe baas: een Chinese groothandelaar in ditjes en datjes.

Ik kreeg het bericht door van een bevriende correspondent in Spanje, die me in 2003 als tolk vergezelde tijdens het maken van een filmportret over 'Baha'. Het stemt me somber dat de winkel opgedoekt is. Verandering is goed, maar sommige plekken moeten voor eeuwig hetzelfde blijven.

Bahamontes bezit de mooiste bijnaam ooit verzonnen voor een wielrenner: de Adelaar van Toledo. Hij zag er tijdens mijn bezoek nog geweldig uit voor zijn 74 jaar. Slank. Gesoigneerd, geparfumeerd bijna. Deftig grijs haar. Gouden montuur op de grote neus.

Bahamontes leidde me rond in de zaak. Het was een lichte ruimte met voornamelijk kinderfietsen. De racefietsen waren in de minderheid. Op een pilaar hing een grote zwart-witfoto; op het centrale plein in de schaduw van de kathedraal van Toledo juichten tienduizenden mensen hem toe na zijn Touroverwinning. In diezelfde zomer opende hij de fietswinkel.

Zijn vrouw Fermina stond achter de kassa. Als een marmeren

borstbeeld. Strak gezicht, roodgeverfd haar achterover gekamd. Met geen honderd handen warm te wrijven. De vaste hulp Faustino was er ook. Hij liep in 1959 als dertienjarige jongen de zaak binnen en zag hoe mecaniciens achter in een werkruimte aan de fietsen sleutelden. Faustino raakte gebiologeerd door de techniek van de racefiets en werkte algauw als knecht in de winkel.

De afgelopen vijftig jaar moest je bij Faustino zijn voor een ventiel, een schroef, een spaak, een zadel of smeerolie voor de ketting. Toen ik er was, hing zijn linkerarm in een mitella. Bij het sluiten van het raam had hij een snijwond opgelopen. Het was geen reden om thuis te blijven. Ook met één hand kon hij klanten aan een nieuwe fiets helpen.

Bahamontes was er niet de man naar om elke dag in de winkel te staan. Het was er ook niet zo druk. Hij trok eropuit, in zijn chique Mercedes. Hij vertrouwde me toe dat hij de zaak openliet voor Faustino. Bahamontes zou wachten met sluiting tot zijn trouwe hulp met pensioen ging.

Terwijl Faustino en mevrouw Bahamontes als adembenemende etalagepoppen in de winkel stonden, nam Bahamontes me mee naar achteren. Eerst zaten we in zijn kantoortje. Achter hem stond een stenen adelaar in de kast. Het beest had zijn vleugels gespreid en leek in één vloeiende beweging op de schouder van Bahamontes neer te willen strijken.

Aan de muur hingen foto's van een klimmende Bahamontes. Hij trok er in bergetappes graag alleen op uit. Beroemd is de anekdote dat hij in de Tour de France van 1954 op de Col de la Romeyere zó ver voor lag op zijn concurrenten dat hij op de top afstapte en op zijn gemak een ijsje nam. Pas toen nummer twee bovenkwam, sprong Bahamontes weer op de fiets.

Het blijkt niet helemaal zo gegaan te zijn. Bahamontes vertelde me de juiste versie. 'Ik was bezig aan een solo op die berg. Ik werd van achteren aangereden door een volgauto. Mijn derailleur was kapot. Omdat mijn ploegleider niet in de buurt was, stapte ik af. Ik zag een ijscokar staan, eentje met twee van die grote gaten. Er stond niemand achter. Ik schepte met mijn hand het ijs uit de kar en smeerde het in mijn bidon. Terwijl ik wachtte op hulp heb ik dat ijs opgegeten.'

We liepen van zijn kantoor naar de oude werkplaats. Het was een vale ruimte met tientallen formaten tangen, zagen en hamers aan de muur. Bahamontes rommelde wat in een nis en trok zijn gele trui uit 1959 tevoorschijn. Ik voelde eraan. Opwindend. Mijn vingers streken over het beroemde geel. Prikwol. Jeukstof.

Ondertussen pakte Bahamontes de fiets waarmee hij de Tour had gewonnen. Hij hing het oude frame op aan een paar kabels en begon tegen de fiets te praten. Met de trappers liet hij de ketting over de tandjes glijden. Het tikkende geluid kietelde in mijn oren.

De Adelaar sprak tegen zijn beroemde fiets: 'Je hebt je altijd kranig gedragen, zodat we de Tour konden winnen. Jij en ik. We waren een stel, we waren slapies. Als we op kop lagen in de bergen, mocht iedereen tegen ons achterwerk aan kijken.'

De linkerhand van Bahamontes gleed over het frame naar het verweerde versnellingspookje. Hij trok het voorzichtig naar achteren. De ketting sprong over de vijf tandwielen. Bahamontes spoot vette olie op de bewegende delen.

Terwijl Fermina in de winkel achter de kassa stond, bedreef Bahamontes schaamteloos de liefde met zijn oude fiets. Soft wielerporno. De Adelaar, in sappig Spaans tot het machteloos hangende frame: 'Ik zette je altijd in de hotelkamer. Dan was je dicht bij me.'

De wielerzaak van de Adelaar is voorgoed gesloten. Bahamontes heeft de fiets van 1959 als een vrouw over de drempel naar buiten moeten dragen. Waar zijn ze heen, Baha en zijn fiets? Ik hoop dat ze samen de bergen in getrokken zijn. Na een slopende klim liggen ze uitgeput in de berm tegen elkaar aan. Het smalle hoofd van Baha op het zadel, zijn armen in innige omhelzing met het frame.

Ze zijn in slaap gevallen.

De wetten van Post

Ik bel Peter Post en zie hem in zijn huis in Amstelveen schuiven op de bank. Hij twijfelt. Wéér een afspraak om te praten over wielrennen? Hij heeft al duizend interviews gegeven in zijn leven als renner en ploegleider. Post heeft het een beetje gehad. Ik moet volgende week nog maar eens bellen, dan is zijn agenda bekend.

Ik bel een week later, op maandagavond.
'Je zou toch 's ochtends bellen? Ik had vandaag mooi gekund.'
Leuk pokerspelletje. Maar goed: hij wil. Ik blij.
We spreken af op woensdagmiddag, in Motel Vinkeveen, langs de rijksweg tussen Amsterdam en Utrecht, om drie uur.
'Misschien wordt het kwart over drie,' roept hij, vlak voordat hij de hoorn neerlegt.
Peter Post. Een naam als een held in een jongensboek. Titels schieten door mijn hoofd. *Peter Post en de grote ontsnapping. Peter Post achter de kapotte derny. Peter Post en het geheim van de piste. Peter Post en het mysterie van de lekke band.*
Op woensdagmiddag rijd ik om één voor drie de parkeerplaats op van het motel. Mijn mobieltje gaat. 'Post', zie ik aan de nummerherkenning. Hij zal wel iets later komen.
'Wilfried, ik ben er al. Waar zit je?'

'Ik rij net de parkeerplaats op.'

Hij staat opeens voor mijn auto. Lang postuur, bouwjaar 1933 maar *forever young*, gekleed in een modern roze overhemd, nauwelijks vet rond zijn middel. Hij dirigeert mijn oude Mercedes naast zijn nieuwe.

Ik krijg een stevige hand. 'Mooi op tijd allebei. Ik heb een hekel aan te laat komen.'

We zoeken binnen een tafel in een donkerbruin hoekje van het restaurant. De ober komt langs. Ik zie dat hij de oud-renner herkent, misschien is dit wel de favoriete afspreekplek van de Keizer van de Zesdaagse; Post won er 65 in zijn carrière.

We praten over zijn doodsmak op 21 januari 1972.

Iedereen in het Rotterdamse Sportpaleis Ahoy hoort die vrijdagavond het nare geluid van vallende fietsen op een houten baan. Een groepje renners ligt op de grond. De schade valt mee. Alle renners gaan op zoek naar hun fiets en verbijten de pijn. Op één na, één man blijft liggen: Peter Post. Hij moet per brancard het podium verlaten waar hij, als renner, nooit meer zal terugkeren.

Het was zo'n dampende koppelkoers in Sportpaleis Ahoy. Veel volk op de tribunes, felle strijd, de huisband op het middenterrein op stoom met evergreens. Post was dat jaar een koppel met de Duitser Sigi Renz. Het is acht minuten over tien, de tweede avond van de zesdaagse. Tijd voor de zoveelste aflossing.

Een aflossing is een van de mooiste technieken van de baansport. Je koppelgenoot rijdt onder in de baan op hoge snelheid in de rondte. Zelf rij je boven in de baan in een lager tempo. Even een paar rondjes uitrusten. Als je collega achter je in zicht komt, moet je tempo maken, naar beneden duiken, manoeuvreren en je linkerarm gestrekt naar achteren houden.

Je maat ziet je uitgestoken hand. Terwijl zijn linkerhand het midden van het stuur beet heeft, pakt hij met zijn rechter jouw uitgestoken hand. De handen slaan in elkaar. Je trekt je op aan je maat en neemt zijn snelheid over. Als een steen uit een katapult schiet je weg. Je bent in koers. Je maat mag nu boven in de baan uitrusten.

Het overnemen gaat bijna altijd goed. Honderden keren op een avond.

Niet bij het koppel Post en Renz om acht over tien op 21 januari 1972.

'Misschien hield Sigi bij die aflossing mijn hand een fractie van een seconde te lang vast,' zegt Peter Post. Hij doet beide handen omhoog, laat ze weer zakken op tafel. Kijkt me aan met zijn staalblauwe ogen. 'In ieder geval, ik ga onderuit, over de kop en kom op een harde rand neer. Weet je dat ze in Ahoy ook een ijsbaan konden leggen? Nou, ik ben net naast het hout van de wielerbaan gevallen, met mijn heup precies op zo'n stalen onderdeel van die ijsvloer. Heup kapot. Scheur in mijn bekken. En een hersenschudding, gebroken ribben, sleutelbeen.'

'Toen ze me de baan af tilden dacht ik: kom ik hier bovenop, kan ik ooit nog rijden? Ze brachten me met de ambulance naar Dijkzigt.'

Ik ken de foto waarop te zien is hoe Post in het ziekenhuisbed ligt. Pips gezicht, ongekamd haar, twee kussens in zijn rug. Zijn linkerheup is ingepakt in een gipsen korset dat doorloopt tot aan zijn knie. Op het nachtkastje staan typerende *seventies*-relikwieën: een beige telefoon met draaischijf en krulsnoer, een transistorradio op batterijen en een groene fles frisdrank met schroefdop. En voor de bezoekers ligt er een pakje sigaretten klaar. Roken was in 1972 nog niet verboden. Post heeft op de foto een zuinig lachje rond de mond. Zijn horloge staat op vijf voor half acht. Het is een dag na de val.

Peter Post weet het nog exact. 'Ik kreeg zes weken rust voorgeschreven van de arts. Dat was een klap in mijn gezicht. Kon ik het daarna opbrengen om me kapot te trainen om mijn conditie weer op het juiste niveau te krijgen? Ik ben gaan revalideren. Tijdens die periode werd mijn linkerbeen dik. Trombose. Half april adviseerden artsen mij te stoppen met fietsen. Het was te gevaarlijk om door te gaan.'

In al die jaren op de baan — van 1953 tot 1972 — was Peter Post nooit angstig. De baan was zíjn wereld. De zesdaagse had voor Post geen geheimen. Zo'n aflossing hoorde gewoon bij de routine van het vak. 'Het is heel belangrijk hoe je op gang wordt gegooid. Heeft de renner die jou aflost nog genoeg kracht of niet? Vroeger mochten we nog niet met de hand aflossen. Er zat een klos in de koersbroek en daar moest je je maat vastpakken. Je nam niet over met de hand, altijd met de broek.'

Peter Post zet zijn lege kopje koffie opzij en steekt een open hand naar voren, tot vlak bij mijn gezicht. 'Je pakt je maat die van boven komt stevig vast, je gooit 'm — tsjoek! — en dan kun je 'm nog een beetje sturen. Je geeft 'm richting. Als er net een renner voor je zit en je gooit zomaar wat, ja, dan flikker je 'm zo in een achterwiel. Nee, je moet 'm echt in een gat smijten. Weet je met wie ik goed kon aflossen? Met Rik Van Steenbergen. Ik gooide hem, hij gooide mij. Achter die aflossing zat zoveel kracht, jongen, we reden gewoon om iedereen heen.'

In zijn eerste jaren als prof maakte Peter Post nog mee dat koppels in de zesdaagse bijna een etmaal in touw waren. Het was op en af, op en af. Tegenwoordig beginnen de professionele koppels iedere avond rond zeven uur en kunnen ze voor één uur 's nachts richting hotel.

'Je moest in mijn tijd maar zien hoe je aan je rust kwam. Ik had het geluk dat ik niet veel slaap nodig had. Nu nog niet trouwens; vier à vijf uur is voor mij genoeg. Als ik weleens om vijf uur in de nacht thuiskom en ik moet er om acht uur 's ochtends weer uit, denk ik, lamaar. Als je maat een uur lang achter de derny moest rijden, kon ik in de cabine bijkomen. Weet je wanneer ik sliep tijdens de zesdaagse? Tijdens het masseren. Kwam je binnenvallen in de cabine op het middenterrein, draaide de masseur het wekkertje op 45 minuten en dan dommelde ik meteen weg. Piet Libregts was lang mijn verzorger. Als hij begon te masseren deed ik mijn ogen dicht. Die gingen pas weer open als mijn maat het gordijntje opentrok nadat hij de dernykoers had gereden. Het was één hok voor met zijn tweeën.'

Lang slapen doen de renners tegenwoordig niet meer. Hooguit een paar minuten gaan de ogen dicht. Als ze aan de rand van de baan van hun fiets stappen, zoeken de renners met vermoeide benen hun cabines op. De hokjes van twee bij een meter zijn in haast getimmerd, van bordkarton. Ze liggen tegen elkaar aan, in het rennerskwartier. Er zit geen plafond in de hokken. Vanaf de tweede ring kan het publiek de vermoeide renners zien liggen. Een smal bed, een paar foto's van vrouw en kind met een punaise op de wand geprikt, veel meer is het niet. Langs het bed loopt een gordijn, dat kan dicht. Voor de privacy.

Luxe is voor later. Stam, Risi, Bartko, Keisse, Lampater, Mouris en Llaneras; elke renner, ongeacht zijn status en plek in de tussenstand, heeft eenzelfde hok.

Het dorp van cabines is een gehorig hotel met één ster. De hokken liggen direct naast elkaar. De rust is ver te zoeken. En toch, het is een plek voor bezinning, een hazenslaapje, een nachtkusje voor het dochtertje dat met de rennersvrouw een avondje langskomt.

Terwijl de ene helft van het koppel achter de derny over de baan dendert, hangt de andere helft op bed. Als een matroos in een kooi van een ovaal schip. Een kwartiertje rust voor de benen.

Daar is het teken alweer. De speaker meldt het volgende onderdeel van de zesdaagse. Opstaan, kerel, wakker worden. Op naar het zadel. Op je fiets. Rijden, rijden, sprinten, aflossen, versnellen, geen besef van tijd, wat is een uur, wat een minuut, een seconde. Zes dagen lang rondtollen op wielen met de geur van frites, bier en worst in je neus. Geen besef van het weer, van het nieuws van de dag. Maar de tussenstand, na een avond fietsen, die kun je dromen.

Kom bij Peter Post niet aan met verhalen over pijntjes in de benen, met verschijnselen van vermoeidheid. Nee, er moet op de baan gewérkt worden. 'Rije! Ze moeten rije, verdomme!'

Al ziet hij nu, na al die slopende jaren die achter hem liggen, ook wel het absurde van de zesdaagse in.

'Die jachten vroeger, daar kwam geen einde aan. Ze begonnen om half acht, zat je om half twaalf nog in die jacht. Ik heb weleens een keer gefietst tot zes uur in de ochtend, in Berlijn. De organisator wilde ons afmatten. Zaten er nog maar tien man op de tribune. Lazarus. Ze lagen gewoon te pitten. Toen dacht ik wel: wat ben ik aan het doen?'

Uitgemergeld vielen de koppels van hun baanfietsen. Na een lange avond rijden stortten ze zich op het eten, in die tijd nog veel vlees, liefst biefstuk. En pasta.

'Je had wel trek, ja. Tussen het rijden door at ik alleen maar een beetje haverslijm. Een soort poeder was dat, havervlokken aangelengd met een beetje warm water, wat suiker erbij, opeten en dan ging je weer op je fiets.'

Slapen op de tribune doen de toeschouwers van de zesdaagse niet meer. Harde muziek houdt hen bij de les. In Ahoy zijn de evergreens vervangen door ingeblikte hits en jingles. Pakt een koppel een ronde voorsprong op de rest, dan slaat de stadionspeaker op een rode knop; een loeiharde scheepstoeter klinkt over de geluidsinstallatie.

Op de eerste en tweede ring zitten de betalende bezoekers. Ze kijken over de baan heen naar het middenterrein, dat voornamelijk bevolkt wordt door genodigden en sponsors met vrijkaarten. Als de scheepstoeter gaat, klinkt er applaus op de tribune. De drinkebroeders op het middenterrein horen het signaal niet. Ze komen niet voor 'de mannen van de nacht', zoals de renners van de zesdaagse vroeger genoemd werden. Hun ogen zijn gericht op vlammetjes, bladen met gratis bier en vrouwen.

Peter Post is niet kapot van de sfeer op het middenterrein. 'Al die vips... De mensen op de tribune ergeren zich eraan. Vroeger kon iedereen nog op het middenterrein, nu worden die plekken verkocht aan zakenmensen. Rotterdammers kennende, willen ze het graag een beetje volks houden. Op zo'n middenterrein moet het publiek lekker kunnen buurten. Het moet een volksfeest voor de gewone man zijn. Maar ja, ik ben van een andere tijd, hè.'

Na zijn carrière als wielrenner werd Peter Post wedstrijdleider in Sportpaleis Ahoy. Hij had een instinct voor wat het publiek wilde: op de eerste plaats mooie sport, maar wel met een goede show eromheen. 'Rotterdam' werd in de jaren zeventig een van de bekendste en sfeervolste zesdaagsen in Europa. De tribunes van het sportpaleis waren rond de houten wielerbaan gebouwd, zodat iedereen goed zicht had.

Ik herinner me hoe ik in 1972 als veertienjarige jongen met mijn vader en moeder op de tribune zat bij de zesdaagse in Ahoy. 1972. Ik bedenk nu pas dat Peter Post in dat jaar uitviel. Op vrijdag. Ik was er op zondagmiddag. Twee dagen eerder en ik had hem zien vallen. Vanaf een houten stoeltje zag ik hoe hard de profs rondjes reden op de houten baan van 200 meter. Ik zat vlak aan de balustrade. Als het peloton op hoge snelheid langsreed, wapperden mijn krullen omhoog. Het Nederlandse koppel René Pijnen en Leo Duyndam was dat jaar onoverwinnelijk. We kochten op de omloop achter de tribune een single met een liedje over de zesdaagse erop. Ik heb het grijs gedraaid op mijn pickup. Ik ken de zinnen 36 jaar later nog uit mijn hoofd: 'Allez, allez (ta-ta-ta-ta) Willem Bever, allez, allez (ta-ta-ta-ta) Peter Post, draai de wieltjes in de rondte, tot je weer wordt afgelost...'

Wedstrijdleider Post besefte dat hij met grote namen moest komen, wilde het publiek in Rotterdam een kaartje kopen. In 1973 had hij al wat renners geboekt, de regionale kranten maakten reclame, maar de voorverkoop liep nog niet echt goed. Post maakte zich zorgen.

'Toen dacht ik: Eddy... Ik moet Eddy Merckx voor de baan vragen. Ik kende Eddy natuurlijk goed van de wegwedstrijden. Ik zei: "Jij moet me helpen, kom rijden in Ahoy." Hij was niet meteen overtuigd. Eddy was al aan het trainen voor het wegseizoen. Ik zeg: "Teken nou maar, ik zal je goed betalen." Hij deed het. Ik had in Antwerpen en Brussel al meer zesdaagsen met hem gereden. Dat lichaam van Merckx, zó sterk. Hij vormde een koppel met Patrick Sercu. Merckx was geweldig op alle onderdelen van de zesdaagse. Een koppelkoers rijden, dat kon Merckx goed. En hij kon sprinten, op de macht. In dat jaar kreeg ik ook nog het duo Pijnen–Duyndam erbij. Dat was Brabant en het Westland, mooier kon het niet. Zes avonden zo goed als uitverkocht. Zwarte handel in kaartjes. Spectaculair.'

De roem van Eddy Merckx werkte als een magneet op het wielerpubliek. De Belg kwam van een andere planeet. Hij won op de weg alles wat hij wilde winnen. Klassiekers, grote rondes. Ze noemden hem de Kannibaal. Als het moest, at hij zijn collega's op, met fiets en al.

In Rotterdam kreeg Merckx het salaris van een popster, ongeveer 45.000 gulden. Hij reed voluit, als altijd. En toch won het Nederlandse duo Pijnen-Duyndam, tot tevredenheid van het publiek.

Tijdens de zesdaagse van Ahoy had Post de wind er goed onder. Met zijn halflange haar voor zijn gezicht en altijd geraffineerd gekleed, drukte hij zijn stempel op de sfeer. Zodra hij doorhad dat de renners er met de pet naar gooiden, ging hij aan de rand van de baan staan te gebaren.

'Ik was streng. Het volk wil wat zien. Bij Post moest je rije, dat wisten de renners. Ik zag het meteen als het inzakte. Dan riep ik: "Hé, gaan we verdomme nog rije of hoe zit het? Anders gooi ik er effe een wedstrijd met onbekende afstand tegenaan." Dat kon ik als wedstrijdleider beslissen. Dat werd het succes van Ahoy: er was áltijd strijd op de baan.'

Niet alleen de renners kregen soms de wind van voren. Ook de gangmakers hield Post in de gaten. Hij was zelf specialist achter de derny geweest. Post won veel wedstrijden met zijn vaste gangmaker Maurice De Boevere. Het hoort bij de zesdaagse, dat lawaai uit de motor van de derny's. Het doet denken aan oude oorlogsfilmpjes waarop het dreigende geluid van duikende stuka's te horen is. De renners houden zich schuil achter de rug van hun gangmaker. In het begin rijden ze als een colonne achter elkaar. In de laatste ronden is het stuivertje wisselen om de eerste plaats. De snelheid gaat omhoog, boven de 60 kilometer per uur. Soms rijden drie derny's boven elkaar door de bochten.

Tegenwoordig is Joop Zijlaard de bekendste man op de derny. Met zijn dikke buik en ervaring houdt hij de renner achter zich uit de wind. 'Joop is een fenomeen. Als je in het Kuipke van Gent komt, krijgt Joop op zijn derny nog meer applaus dan de renners. Maar geen kwaad woord over Joop, hoor, een vakman. Zonder hem in de baan zit er helemaal geen gang in. Sommige gangmakers vallen bijna in slaap tijdens een dernykoers. En dan wordt er niks van gezegd. Ik ging vlak langs de baan staan en riep: "Hé slaapzak, ben jij besodemieterd! Rije met je renner, godverdomme. En als het je niet bevalt, ga je maar weg. Dan krijg je je geld tot nu toe, en dan ga je maar thuis zitten. Je rijdt hier niet voor jezelf, je rijdt hier voor het volk."'

De felle ogen van Peter Post spuwen weer even vuur. Zoals het vroeger langs de baan geweest moet zijn. En vanuit de auto, toen hij ploegleider was van Ti-Raleigh en Panasonic.

Ik kijk door een raam van het motel. 'Het wordt al donker,' zeg ik.

De ober komt langs met verse koffie.

De sportieve prestaties stonden voor Post voorop tijdens een zesdaagse. Zijn periode in Ahoy kreeg glans door een uitgebalanceerd showprogamma: een lekker Belgisch livebandje op het middenterrein, een paar grapjassen onder de renners en een line-up van goede artiesten.

'Ik kende Leen, Lee Towers, al jaren. Hij zat toen veel in het schnabbelcircuit. Ik heb hem naar Ahoy gehaald, stond-ie opeens voor 9000 man. Het ging goed. In feite was dat het beslissende duwtje voor Leen om die avondvullende shows in Ahoy te gaan doen.'

De muziek tijdens de huidige zegdaagse is niet aan Peter Post besteed. Hij wilde als wedstrijdleider mensen van vlees en bloed zien. Towers dus, en Hazes. En de Zangeres zonder Naam. 'Ik zie haar nog binnenkomen, moeilijk lopend met een stok. Maar wát een succes. Met dat nummer over Mexico. Ik vraag na afloop: "Morgenavond weer?" Ze was doodop. Ik tegen haar aan praten en ja hoor, ze deed het. "Voor jou, schat," zei ze. Ik had geen contract of niks met haar, maar de volgende avond stond ze er weer. Weet je dat diskjockey Krijn Torringa mijn speaker was op het middenterrein? Die heb ik een paar jaar geleden begraven.'

Zestien jaar lang was Peter Post, samen met zijn kompaan Peter Bonthuis, de drijvende kracht achter de zesdaagse in Rotterdam. Het moest een keer ophouden.

'Vroeger was Ahoy een echt sportpaleis, maar ja, toen kwamen die grote concerten, via Mojo. Ze hadden meer plaatsen nodig. Waarom zou je die vaste wielerbaan laten liggen voor zes avondjes per jaar? Ik toonde er alle begrip voor, zeker zakelijk gezien, er moest in die tijd toch geld bij Ahoy. Tegenwoordig is de baan demontabel. Dat is geweldig. In een Parijse sporthal gaan ze nog verder. Daar drukken ze op een knop en dan zie je de bochten van de wielerbaan zo uit de vloer omhoogkomen.'

Post is een liefhebber. Hij praat niet over 'gemaakte' dernykoersen waarbij de renner die achter de derny van Joop Zijlaard rijdt altijd wint. Over koppelkoersen waarvan de uitslag al zou vastliggen. Hij ziet voor alles de schoonheid van zijn sport.

'Een ervaren renner als de Zwitser Bruno Risi, daar geniet ik van. Hij heeft altijd een vloeiende aflossing, hij kijkt goed, kwaliteit. De Nederlanders Stam en Slippens; die waren jaren een mooi koppel, ook héél goed.'

Met een soepel handgebaar vraagt hij de ober om de rekening op te maken. Post gaat terug naar Amstelveen. Bij de zesdaagse van 'zijn' Rotterdam zien ze hem niet meer. 'Ben ik altijd op vakantie,' zegt hij. Sinds de zesdaagse in Ahoy in 2005 nieuw leven werd ingeblazen, is Posts oude koppelgenoot Patrick Sercu de wedstrijdleider. Dat moet Post steken. Hij houdt zijn kaken stijf op elkaar.

'Tsja.' Dat is het enige wat Post erover kwijt wil. Hij kijkt schichtig om zich heen in het motel. 'Maar weet je, als ik baanrennen zie, blijf ik enthousiast. Wielersport is mijn alles.'

'Babbo' Bartali

Een januarizonnetje zet de huizen aan de Piazza Elia Dalla Costa in het licht. Hier, in een dorp vlak bij Florence, in Ponte a Ema om precies te zijn, bezocht ik tien jaar geleden de beroemde Italiaanse wielrenner Gino Bartali. De drievoudig Tourwinnaar was al ruim over de tachtig. Ik zie hem zo weer staan in de deuropening van zijn huis; een kleine, kalende man met pretogen, een forse neus en een schor stemgeluid.

Op twee naambordjes staat 'Bartali'. Ik druk op de bovenste bel. Op de derde verdieping gaat een raampje open. Het is de vrouw van Bartali, Adriana. Ze wil liever niet meer praten over haar man nu hij dood is en verwijst me naar haar zoon, een bel lager. Als hij in de deuropening staat, blijkt de zoon net zo klein als zijn vader. En hij heeft, onmiskenbaar, de Bartali-neus.

Luigi Bartali (62) opent zijn kantoor, naast het ouderlijk huis. Hij doet iets in verzekeringen. Hij gaat achter het bureau zitten met een blik of ik waterschade kom melden. Aan de muur hangt een tekening; het is overduidelijk Luigi's vader. Onder het portret staat een tekst: *Gino, hai sempre vent' anni.* Gino, je bent voor eeuwig twintig.

'Mooi om weer op de plek te zijn waar ik toen met je vader was,' zeg ik.

Luigi luistert naar mijn herinneringen. Ik mocht destijds aan

Gino's pacemaker voelen, hij toonde mij zijn prijzen op zolder en het kapelletje op de overloop waar hij iedere ochtend een gebed prevelde.

Zijn zoon trekt een fotomap uit een archiefkast. Tussen plastic velletjes liggen allerlei familiekiekjes. Hij wijst naar twee foto's: vader en zoon, allebei als jongen in het leger. Gino Bartali kijkt lachend in de lens. Hij heeft zijn baret scheef op zijn hoofd en hij draagt een driekwart pofbroek. Als militair zijn vader en zoon identiek.

'Ik zag mijn vader nooit, de eerste jaren van mijn leven,' vertelt Luigi. 'Hij was om vijf uur naar de koers en bleef vaak lang weg. Op mijn zevende heb ik pas voor het eerst samen met hem gefietst. We hadden een tweede huis in Siena. Hij wilde met mij terugrijden vanuit Castellina in Chianti. Mijn fietsje was meegenomen in de Topolino, ons autootje. Ik reed voor het eerst op de fiets naast mijn beroemde vader. We gingen de heuvel af. Al bij de tweede bocht was het mis. Onze fietsen raakten in elkaar. We vielen. Ik mocht van hem geen wielrenner worden, hij vond het te gevaarlijk.'

In het fotoalbum zie ik Gino Bartali halfbloot op apegapen liggen in een strandstoel, in Pescara. Er zit weinig leven in, denk ik. Zijn dikke buik is ontbloot, het witte hemdje is omhooggeschoven tot aan zijn hals. Hij draagt een lichtblauwe korte broek.

Toen ik hem tien jaar geleden ontmoette, had hij geen buikje. Bartali is van 1914, hij stierf in mei 2000. Italië was in diepe rouw.

Luigi pakt een pijp van een plank. Uit het hout is de kop van Gino Bartali gesneden. Weer die markante neus. 'Heb ik van mijn vader gehad,' zegt Luigi. 'Ik hou die pijp, hij gaat niet naar het Bartali-museum. Mijn *babbo* rookte als een ketter. Soms twee pakjes per dag. Het liefst van het merk Nazionale, sigaretten in een groen pakje.'

Hij bladert verder. 'Kijk, dat ben ik. Op de racefiets van mijn vader. Dit is op het plein voor de Sint Pieter in Rome.'

Luigi zit er een tikje triest bij, op zondagmiddag in zijn kantoor. Het moet een loden last zijn de zoon van Gino Bartali te zijn. Altijd maar die verhalen over vroeger, over de roem die niet te evenaren is. Het is even over vijven op zijn gele sporthorloge. Hij geeft me een oude persfoto mee van zijn vader.

Luigi wil terug naar zijn huis. Hij gaat naar boven, naar zijn vrouw. Morgen duikt hij weer in de verzekeringen.

Buiten bekijk ik de persfoto. Gino in het geel, hij lacht, met zijn achternaam op het shirt. Bartali.

Kippenvel

Iedereen had een kaartje gekocht voor kippenvel. Op deze zaterdagavond in januari 2005 moest en zou het op de huid verschijnen, tijdens het afscheid van Leontien Zijlaard-van Moorsel. De rit met de metro bracht me al in de stemming. We reden bovengronds, bij de Maashaven, waar iemand op een braakliggend terrein verlaat vuurpijlen afstak.

Op het plein voor Ahoy was het doodstil. Duizenden fans van Leontien zaten binnen al twee uur te wachten op hun wielerkoningin. Ik was aan de late kant, het afscheidsgala stond op het punt te beginnen. De renners van de zesdaagse kregen een half uur rust.

De lichten in de grote hal gingen uit. De volgspots wezen naar een ereboog van kinderen. Het moment was daar: Leontien arriveerde. Ze liep als een diva de trap af, de baan over naar het podium op het middenterrein.

Mooie witte jurk met blote schouders.

De burgemeester van Rotterdam vond Leontien 'buitengewoon aardig', Erica Terpstra zei dat 'Tinus altijd tot het gaatje ging' en haar vader — ons pap uit Boekel — vertelde dat 'in het breken van het wereldduurrecord in Mexico een bepaalde emotie zat'.

Het woord 'emotie' zal nooit een tearjerker zijn.

Een rondje fietsen op de baan kon geen kwaad. Leontien had een fietstenue aangetrokken en moest een achtervolging rijden. Een gemengd dubbel met Erik Dekker tegen het duo Michael Boogerd en Anouska van der Zee. 'Ik zag helemaal niet wie er op kop lag,' giechelde Boogerd na afloop. Het scheelde weinig of zijn duo had per ongeluk gewonnen, geheel tegen de afspraken in.

Leontien had een afscheidstoespraak op papier staan. De beste wielrenster ooit durfde het niet uit het hoofd te doen. Ik moest aan Joop Zoetemelk denken, de beste man op de fiets. Hij bedankte tijdens zijn afscheid in de Zesdaagse van Maastricht in 1987, zijn ouders ook met een trillend tekstje voor zijn neus. Stotterend haalde hij het einde.

Schoonvader en gangmaker Joop Zijlaard stond langs de baan de tranen achter zijn bril weg te vegen. Hij had gehuild om het huilen van de zus van Leontien. 'Zo, zie ik daar effe een beetje emotie, zeg. Ik doe straks tijdens het rijden mijn bril omhoog, dan waait het wel droog.' Hij gierde vervolgens met zijn derny over de baan en eindigde zelfs met één ronde voorsprong. Zijlaard, na afloop: 'De mecanicien zei net dat het motortje van de derny nog nooit zo heet is geweest.'

Leontien reed nog een laatste ronde solo, alleen gevolgd door een spot met wit licht. Het publiek in het sportpaleis ging staan. Gemeenschappelijk kippenvel is te regisseren, dat kunnen we goed in dit land. Er was nog één duwtje nodig. Ze eindigde met haar fiets op de eindstreep. Daar stonden haar man en René Froger te wachten. Froger zong het nummer dat Leontien tijdens de trainingen zo graag via haar oordopjes hoorde. 'This Is the Moment.'

Crescendo op crescendo.

Haar fiets ging aan een kabel langzaam naar het dak. Het lag er lekker dik bovenop. Dit was de traan van Máxima en de laatste rondgang van Hazes ineen. Ze keek onhandig en verdrietig naar haar man. Haar grootste maatje, de fiets, werd langzaam omhooggetrokken. Leontien zwaaide naar het frame, te hoog om nog aan te raken. René Froger zong zijn hart uit zijn lijf. Leontien vocht tegen de tranen. Ze verloor. Er kwam er één traan uit haar ooghoek. Hij gleed over haar wang naar beneden.

Daar was het, een paar seconden maar, dat rare gekriebel op je rug, van de broekriem tot aan de boordrand van je overhemd.

Kippenvel.

Hopsen, bopsen

Tijdens een jazzconcert in Amsterdam keek ik naar het hoofd dat me even daarvoor gedag had geknikt aan de bar. Zijn heldere ogen vielen op. Ik herkende de man aanvankelijk niet, zo in het halfdonker.

Terwijl de pianist door de akkoorden van 'All the Things You Are' ploegde, tuurde ik naar de man die een paar rijen voor me zat mee te swingen. Ik schatte hem een jaar of zestig. Hij draaide een shagje. Dat zag je niet veel meer.

Jan Legrand. Hij was het. Natuurlijk. Jan Legrand, de legendarische mecanicien van de Raleighploeg. Hij sleutelde aan de fietsen van een hele generatie renners. Legrand was een jazzfanaat. Journalist John Schoorl wist hem ooit te strikken voor een mooi verhaal over zijn liefde voor muziek in het wielertijdschrift *De Muur*. Legrand luisterde vroeger tijdens het sleutelen graag naar de trompettist Chet Baker en de tenorsaxofonisten Don Byas en Stan Getz.

'Weet je het weer, op dat plein?' zei Legrand in de pauze. Ja, ik wist het weer. Een paar jaar geleden werd ik bij de start van de Ronde van Vlaanderen aan hem voorgesteld. Hij had een ouderwetse pet op en rookte veel. Legrand liet zijn gezicht bijna nooit meer zien sinds zijn vertrek uit de wielerwereld.

Ik vroeg of hij vanmiddag Parijs–Roubaix op televisie had gezien.

'Nee. Geluisterd. Ik ben mijn hok niet uitgeweest. Vanaf elf uur 's ochtends heb ik de hele dag twee radio's tegelijk aan gehad. Nederlands en Belgisch commentaar door elkaar. Met mijn hand bij de knoppen. Dan zette ik de ene weer wat harder, dan de andere weer. Ik zag die jongens voor me, ik wist precies op welke strook ze reden. Als mekanieker heb ik de Hel vijftien keer gedaan, denk ik.'

Op het podium stonden vier trombones in hun standaard. Het mondvocht van de blazers droop aan de binnenkant naar het laagste punt. Legrand: 'Ik hou niet zo van bigbands. Geef mij maar een kwartet. Met een saxofonist die niet bang is om een valse noot te blazen.'

Het was *jazztime* in de zaal, maar ik wilde verhalen over de koers. Over kasseien, schurkenstreken op de fiets, technische foefjes voor de Hel.

'Je moet deze koers alleen op kop kunnen rijden, dan kun je winnen. Als je vooruit bent, is het de makkelijkste wedstrijd om te winnen. Geen gedoe met knechten. Die Tom Boonen, dat is een echte. De renner moet het doen, niet de techniek. In mijn tijd wilden renners een verende voorvork. Gaat er vandaag nog één renner over de kasseien met een verende voorvork? Natuurlijk niet. Onzin. Ik gebruikte in mijn tijd alleen een wat krommere vork, dat scheelde een beetje. Het is geen goed Nederlands, maar ze moeten zwoven. Zwoven over de kasseien. Eddy Planckaert kon dat, Eric Vanderaerden. Weet je wie mooi reed? Franco Ballerini.'

Ik herinnerde me hoe Roger De Vlaeminck in de jaren zeventig zijn banden bijvulde met Finilec, vloeibare rubber uit een spuitbus. Kleine gaatjes zouden al rijdend weer gedicht worden.

'Dat spul werkte niet,' reageert Legrand. 'Als je lek reed, liep die rotzooi er zo uit. Je had die frames moeten zien, die zagen er zo smerig uit door die troep. De juiste spanning in de band, dat is belangrijk. Niet te hard, niet te zacht oppompen. Je mag tijdens dat rijden over de kasseien best je velg voelen. Maar het moet niet te hard bonken, dan rij je alles kapot.'

In de zaal maakten de jazzmusici zich op voor een volgende set. Jan Legrand haalde van de baal uit het zakje een plukje shag los en legde het zorgvuldig op het vloeitje. Ik zag de fijne motoriek van de vingers. Kleine schroefjes waren bij hem in goede handen.

Zijn woorden swingden: 'Hopsen, bopsen, van links naar rechts. En maar rammen. En doen. En kijken. En alles. Kolere!'

Siciliaanse stropdas

Rijke Italianen halen hun neus op voor alles wat beneden Rome ligt. Onder de hoofdstad begint een nieuw continent. Ze noemen het 'Afrika' en vinden het arm, achterlijk en gevaarlijk. Dat de Giro d'Italia van 2005 in het uiterste puntje van de laars van het schiereiland begon, moet dan ook als een doekje voor het bloeden worden gezien.

Veel meters parcours kreeg de startplaats Reggio di Calabria niet toebedeeld van de baas van de beroemde wielerronde. De tijdrit vond plaats op een rechte strook asfalt van 1100 meter langs de kust. Na anderhalve minuut fietsen mochten de renners alweer onder de douche. Een gevulde bidon in de houder was overbodig, sterker nog, het zweet van de renners had nog niet eens de tijd om uit de oksels te kruipen, zo kort was de ouverture.

Het leek op een absurd sprookje, renners die laat in de avond door het licht van de klassieke lantarenpalen aan de kust van Reggio flitsten. Op de eerste honderden meters van het parcours zag ik nauwelijks mensen achter de dranghekken staan. Lagen de vissers van Reggio al op één oor of was het stil verzet tegen zoveel tijdelijke poenerigheid in hun streek?

Aan de overkant van de zee zag ik de contouren van de kustlijn van Sicilië. Het eiland wordt niet aangedaan door het peloton. Dat is wel eens anders geweest. Ik herinner me nog hoe Jean-Paul van Poppel in 1986 en in 1989 over de zwarte lavastenen van de Via Etnea in het centrum van Catania naar een etappezege op Sicilië sprintte.

De Sicilianen wachten met gemengde gevoelens op de lange brug die het eiland moet gaan verbinden met het vasteland. Eens zullen de renners van de Giro in waaiers over de zee rijden en bij Messina worden binnengehaald door het volk dat 's avonds gul de limoncello schenkt, maar evengoed 's nachts de Giroleiding een 'Siciliaanse stropdas' kan aanmeten; strot opensnijden en tong naar buiten trekken, een maffia-afrekening in oude stijl.

De oersprinter en wereldkampioen Mario Cipollini fietste in Reggio di Calabria in een roze, homo-erotisch maillot buiten mededinging naar de meet. Puur voor de lol. Mooie Mario, geboren voor de show. Hij droeg een zonnebril op de fiets, terwijl het al laat op de avond was. Omdat we zijn kraaienpoten niet mochten zien? Cipollini wordt niet graag oud. Of verborg hij achter de donkergetinte glazen zijn blikken naar de adembenemende rondemiss? Het publiek klapte de handen stuk voor de man die zoveel sprints met overmacht won.

In de zomer zat ik in het oude centrum van Lucca in een restaurant in een smalle winkelstraat. Terwijl ik op een plakje rauwe ham kauwde, bonkte er iets tegen de ruit. Ik keek opzij. Het was het stuur van een gewone fiets. Ik staarde naar het gezicht van de eigenaar. Zwarte haren achterover, gebruinde huid.

Mario Cipollini.

Dat was waar ook, Cipollini woonde in Lucca. De wielrenner liep een ijssalon binnen. Een paar minuten later kwam hij met een plastic zakje in zijn hand naar buiten. Hij hing het zakje met ijs aan het stuur en fietste weg.

Van opwinding belde ik met een paar vriendinnen. Ze moesten het allemaal weten: ik had de grote sprinter en *womanizer*

Cipollini gezien. Hij droeg een driekwart broek, een T-shirt en kocht ijs. Veel ijs. En ja, hij was een knappe verschijning.

Daags voor het vertrek van de Giro d'Italia stuurde de favoriet voor de eindzege, Damiano Cunego, eventuele groupies met een nuchtere boodschap naar huis. 'Een vrouw moet de eisen van een atleet begrijpen. Samen elke zaterdagavond naar de discotheek gaan, is onmogelijk. Showgirls hebben volgens mij niet het juiste hoofd om naast een sporter te leven.'

Saaie man, die Cunego. Hij legde zijn wielerbestaan uit: 'Ik bekijk de wereld vanaf mijn zadel. Fietsen is wat ik het liefst doe, alleen op twee wielen heb ik een vrijheidsgevoel.'

Cunego moet nog duizenden kilometers door Italië afleggen. Er zullen onderweg genoeg mensen voor hem juichen, maar de massale opwinding rond de showkilometer van Cipollini in Reggio di Calabria valt niet te overtreffen.

Luchtgekoeld

Eigenlijk moet ik niets van Zwitserland hebben. Het land leeft niet. Alle inwoners hebben een hark. Ze harken zich er een ongeluk. Langs de wegen is alles even onberispelijk. Een op straat weggegooid papierpropje zul je er niet vinden. *Sauber und pünktlich.* Ik gebruik het liefst woorden uit het land zelf om uit te leggen hoe Zwitserland eruitziet als je er met de auto doorheen rijdt. Op de snelweg is het rijden, tanken en doorrijden tot je aan de andere kant van Alpen opgelucht aan de cappuccino kunt op een smoezelige parkeerplaats in Italië.

Het wielerpeloton reed de koninginnenetappe van de Ronde van Zwitserland. Er zaten drie cols van de buitencategorie in het parcours. De Ronde van Zwitserland heeft het imago een trainingswedstrijd te zijn om je als renner te testen voor de Tour de France.

Jan Ullrich deed mee. Spannend. Ullrich heeft in de wintermaanden een hekel aan zijn vak. De Duitser grijpt liever naar een fles bier dan naar een bidon. In de lente zien fans met lede ogen aan dat Jans T-shirt te strak zit. Het is weer zover; tot aan de start van de Tour moet Jan de strijd aan met overtollige kilo's.

In de middag reden de coureurs richting de Gotthard, een berg van ruim twee kilometer hoog. Ze zouden de tunnel toch niet nemen? Ooit reed ik de zeventien kilometer lange buis in met een Kever. Die auto reed op benzine en was luchtgekoeld. Bij het inrijden van de tunnel stond het wijzertje van de tankinhoud op halfvol. En toch begon de Kever na een paar kilometer te schokken en te stotteren. De motor hapte naar adem. Ik herinner me elke kilometeraanduiding, alle noodstopplaatsen. Zo'n tunnelrit gun je niemand, zeker het profpeloton niet.

Gelukkig, de renners gingen bovenlangs. Je kunt op twee manieren over de 'San Gottardo'; je neemt de oude of de nieuwe pas. De organisatie van de ronde koos voor de oude klim. Al snel maakte het asfalt plaats voor kleine kasseien die in de vorm van halve bogen keurig naast elkaar lagen.

'Een stukje Vlaanderen in de Alpen,' zei de tv-commentator. En over de omgeving, waar geen mens te zien was: 'Als je een beetje ambitie hebt, ga je hier weg.' Hij had gelijk, het was dodelijk saai en stil. Maar met de klimmers slingerend over de weg kon de camera niet lang genoeg boven de bergflanken blijven hangen. De weghelften werden keurig gescheiden door een bakstenen streep.

Net als in de Giro d'Italia tijdens de heroïsche beklimming van de deels onverharde Colle delle Finestre wenste je hier als televisiekijker ook weer dat het beeld door de regisseur op zwart-wit werd gedraaid. Iedere meter op de oudste bergpas in de Alpen gaf de Ronde van Zwitserland meer glans.

Jan Ullrich leek op de Gotthardpas nog in goeden doen. Hij reed in de luwte achter zijn ploegmaat Giuseppe Guerini. Ullrich liet een ander het werk doen. Pas na de top van de Gotthard bleek dat hij zelf niet de kracht in de benen had.

Ik keek bij de volgende klim naar het gezicht van Ullrich. Mijn god, hij openbaarde hier op steile stukken in de ijle lucht dat hij over twee weken de Tour ging verliezen in het hooggebergte. Zijn ogen trokken een beetje naar binnen en er stonden groeven in zijn neusvleugels. Hij probeerde met halfopen mond zuurstof naar binnen te happen.

'Ook een luchtgekoeld motortje, Jan?' wilde ik roepen.

Ullrich zweette achter de rug van zijn trouwe helper en nam alleen nog over in de laatste afdaling van de dag. Hij was onderweg weer een pondje lichter geworden.

Aan de finish stond een meisje van zijn team klaar met een flesje bronwater. Ze draaide het dopje er alvast af. Jan schudde van nee en vroeg de weg naar de douche. Hij reed van de camera weg en verdween uit beeld.

Sinds deze etappe staat Zwitserland bij mij op de kaart.

Frisse hersens

Wielrenner Aart Vierhouten leunde tegen een lichtmast van Stadion De Kuip. Hij had zich onttrokken aan de drukte bij de start van het Nederlands kampioenschap wielrennen, tweehonderd meter verderop. Vierhouten had een half uur eerder een proefronde gereden op het stratencircuit van Rotterdam. 'Vanwege de wind kon het nog weleens een zware dag worden.'

Vierhouten had deze week van zijn ploegleiding gehoord dat hij niet mee mocht naar de Tour de France. En dat terwijl hij de afgelopen jaren trouw de sprint had aangetrokken voor zijn Australische ploegmaat Robbie McEwen. Vierhouten is een jongen die ik altijd en overal drie weken mee naartoe zou nemen, alleen al vanwege dat betrouwbare gezicht. Hij is een hardwerkende prof. Nooit gezeur, frisse hersens.

'Ze denken dat ik de bergen niet over kom en daarom Robbie in de laatste dagen niet kan helpen in de sprint,' verzuchtte de wielrenner. Vierhouten reed jaren van zijn wielerleven in dienst van een ander en opeens mag hij niet mee naar de belangrijkste wedstrijd van het jaar. Ik zei dat hij zijn boosheid er maar uit moest fietsen op het vlakke parcours in mijn stad. Vierhouten schoof demonstratief als laatste aan bij het klaarstaande peloton.

De burgemeester schoot het peloton weg. Ik bekeek de eerste

ronden vanaf de tribune en besloot daarna de rest thuis vanaf mijn dakterras te volgen, een paar kilometer verderop aan het parcours. Door de verrekijker zag ik de renners steeds voorbijrijden, met een oude maïsfabriek aan een kade als achtergrond. Ik zocht Vierhouten. Zat hij boos op zijn fiets?

Twee jaar geleden stond ik na afloop van het Nederlands kampioenschap in de bocht naar de Erasmusbrug te kijken naar het peloton dat op het gemak terugreed naar het hotel. Aart Vierhouten stopte en vertelde toen niet erg te spreken te zijn over het Rotterdamse parcours. Het was duf, winderig en langs de kant stond nauwelijks publiek.

Ik ging deze namiddag weer in dezelfde bocht staan, in de hoop Vierhouten nog even te zien. Maar nee, misschien was hij deze keer via de andere kant van het parcours naar het hotel of de bus gereden. Vierhouten was als negende gefinished. Een washand over zijn gezicht. Alles vergeten.

Later op de avond belde ik Vierhouten thuis op, in het Belgische Ravels. Hij was nog wakker: 'Er was vandaag meer ambiance. De wind was echt bepalend op de Van Brienenoordbrug. Ik zat me kwaad te maken omdat ik daar bij die eerste ontsnapping had moeten zitten. Ik wilde me vandaag laten zien. Het moet, het moet, zei ik steeds.'

Vierhouten is in vorm. En toch moet hij thuisblijven. Geen Tour voor Aart Vierhouten. Een wielrenner die in juli niet in Frankrijk is, hoort er niet bij. Dat knaagt.

'Het wordt een moeilijke maand. Ik kan alleen hard trainen en wachten op augustus. Ik ga maar veel lezen. Ik heb net *Magiër* van Raymond Feist uit. Een dikke pil van meer dan zevenhonderd pagina's over een fantasiewereld, over legendarische mensen die de gave hebben met hun ogen een lepeltje te buigen, bij wijze van spreken. Ik ga de volgende twee delen lezen. Ik geloof dat die ook weer heel dik zijn. En ik heb net een dochtertje van drie weken, die zal ik veel zien. Maar het zal wennen zijn, zo zonder Tour.'

Hij vroeg wat ik ging doen tijdens de Tour. 'Op vakantie naar Umbrië,' zei ik. 'Umbrië?' antwoordde Vierhouten. 'Heb ik in het voorjaar nog getraind. Er lopen allemaal beesten in het wild. Tijdens het fietsen heb ik daar een hert gezien met alles erop en eraan. Waar maak je dat nog mee?'

Hij een boek, ik een hert. Dat wordt wat, de maand juli.

Boer op de weg

Al kilometerslang reed ik op een smal pad door een landschap dat ik alleen van schilderijen van oude Hollandse meesters kende. De bladeren aan de bomen hadden een hardgroene kleur die ik in de stad al jaren niet meer had gezien. En toen ik over een bruggetje fietste en naar het riviertje keek, kon ik de begroeiing op de bodem zien meedeinen met de stroom. Zo helder was het water.

Welke idioot had deze omgeving ooit de naam 'Achterhoek' gegeven?

De zon was nog niet op het hoogste punt aanbeland, maar ik had al spijt dat ik mijn gezicht niet had ingesmeerd.

Hoog in de lucht draaide een roofvogel een rondje. Traag en zonder beweging in de vleugels, als een zweefvliegtuig op de thermiek. Ik stopte om het beest beter te zien. Met één hand weerde ik de zonnestralen uit mijn ogen. De vogel draaide onverstoorbaar zijn cirkel, op zoek naar een prooi.

Ik had dorst. Mijn bidon was gevuld met het bijna zoete water uit de kraan van het vakantiehuisje in Ruurlo. Ik nam een paar slokken. Net toen ik de bidon weer in de houder plaatste, hoorde ik een paar slepende klompen. Ik keek opzij en zag een boer over een erf lopen dat op de weg uitkwam. Achter hem stond een rij koeien in de open schuur. Ze hingen met hun koppen boven het hooi.

De boer kloste naar me toe.

'Zo, aan het trainen?' zei hij met een zwaar Achterhoeks accent.

'Ja,' zei ik.

Een van de koeien loeide. Ze probeerde met haar kop los te komen uit de halsband om haar nek. Tevergeefs. De andere koeien keken niet op of om. Ze maalden het hooi tussen hun kaken en duwden hun snoet in de waterbak.

'Houdt u alleen koeien?'

'Achter de schuur staan nog twee geiten. Op het land heb ik een paard staan. Maar verder alleen koeien. Een stuk of veertig.'

'Is dat veel? vroeg ik.

'Nee. Het is geen vetpot. Vorig jaar deed een liter melk maar 25 eurocent. Daar kan een mens niet van leven.'

Ik had sterk de behoefte om het stugge, grijze haar van de boer te borstelen. Het stond alle kanten op en leek hard als touw. Het schreeuwde om een stalen borstel.

Er kwam een hond aangeslenterd. Met zijn staart sloeg hij groenglimmende vliegen van zijn rug. Het dikkige beest rook aan mijn wielerschoen, schuurde een paar keer tegen mijn onderbeen en ging vlak naast me op het warme asfalt liggen. Zijn vacht deed me denken aan het kapsel van de boer. Ik kreeg nog meer zin in borstelen. Dat kon ook te maken hebben met mijn verlangen weer eens een bos haar op mijn hoofd te hebben, en met een kam strepen in mijn hoofdhuid te trekken.

'Het gaat niet goed met het boerenleven in Nederland,' antwoordde ik, niet precies wetende wat ik daarmee bedoelde.

De staart van de hond zwiepte weer over zijn rug. Een stel vliegen vloog op om meteen op dezelfde plek te landen.

'En dan kreeg ik ook nog een scheiding, het afgelopen jaar,' toepte de boer over. Hij keek langs me heen de weg af.

Een scheiding. Achter de koeienstal stond een karakteristieke boerderij uit de Achterhoek, met aan de achterkant, in het midden, twee grote staldeuren.

De boer keek me nog steeds niet aan. Hij haalde adem. 'Het was een rotjaar.'

De hond kende het verhaal van zijn baas en had de ogen al dicht.

'Waar is uw vrouw nu?'

'Weg.'

'Een ander?'

'Precies.'

'Hier uit de buurt?'

'Nee, Naaldwijk. Ze woont nu in Naaldwijk. Ze had al zes jaar een verhouding met hem.'

Hij hoestte binnensmonds.

'Ze heeft hem via dat internet,' zei hij.

De handen van de boer hingen langs zijn werkkleding. Het slijm uit de koeienbekken zat aan zijn mouwen. Er plakten een paar strootjes aan vast.

'Tsjonge...'

'Ja, je verwacht het niet. Hè Kees, wat jij?'

De hond deed één oog half open. En weer langzaam dicht.

'En dat mijn dochter nooit iets gezegd heeft...'

'Zij woonde ook hier?'

De boer knikte. 'Die wist ervan, van dat flikflooien. Dat weet ik zeker. Al die jaren. Ze is nu twintig. Ze studeert voor laborante in Leiden.'

Mijn fiets stond levenloos tussen mijn benen. Ik haalde mijn rechterwijsvinger over mijn voorhoofd om het zweet te wissen. We stonden in de felle zon.

'Die hond doet niks,' zei de boer. 'Hè, Kees?'

We stonden maar zo'n beetje, hij met zijn hond, ik met mijn fiets. Je kon voelen dat het nog heter zou worden, de komende dagen. De grond van de akkers om ons heen toonde lange droogtescheuren.

Er was geen verkeer op het smalle pad. Het was nagenoeg stil. Ik hoorde alleen in de verte het suizen van de auto's over de provinciale weg.

'Racefiets zeker?' vroeg de boer, met zijn neus wijzend naar mijn Masciaghi.

'Ja, ik ben aan het trainen. Ik ga over een maand op vakantie in Italië. Dan neem ik mijn fiets mee.'

De boer luisterde niet naar mijn antwoord. Hij lachte een keer, zonder geluid, alleen met een trek rond zijn mond. 'Maar ik heb ook een vriendin nu. Wat dacht je. Ook via dat internet.'

De man leek me ver in de zestig. Zijn rug stond zo krom als een hoepel. Uit zijn vochtige neusgaten groeiden stronkjes grijs haar. Had hij echt een vriendin? Die zou de schaar dan toch wel ter hand hebben genomen?

Ik keek omhoog naar de roofvogel die op hoogte boven het erf cirkelde. Hij had een flinke spanwijdte.

'Een buizerd,' zei de boer. 'Zit meestal verderop daar, in die kale boomtoppen. Hij vliegt af en toe even een rondje. Hij zal wel denken, wat moeten die twee mannen daar op de weg, met die hond erbij.'

Binnen in de schuur klingelden een paar koeien met hun kettingen tegen het stalen hek. 'Ik melk ze nog iedere dag met de hand.'

'Mijn neef in Hazerswoude melkt ze via de computer,' zei ik. 'Hij kan thuis op het scherm zien hoeveel melk ze per dag geven en wat ze aan voer nodig hebben.'

De boer keek me aan. 'Die moderne melkcomputers, daar wil ik niks mee te maken hebben. Ik doe alles lekker met de hand.'

'Zo is dat,' zei ik, om een einde aan het gesprek te maken.

Toen ik mijn linkerschoen in het pedaal klikte, schrok de

hond wakker. Hij stond op met zijn stramme lijf en schudde zijn wollen buikje uit.

'Nou, train ze,' zei de boer. Hij tikte met de hak van zijn rechterklomp op het asfalt; er viel een droge kluit op de grond. De hond snuffelde eraan.

Met mijn rechtervoet duwde ik mezelf op gang. Toen ik op het zadel zat, keek ik om.

De boer stond nog op de weg, hij zwaaide met een ouderwetse volle hand in de lucht. De hond slenterde het erf op. Ik zwaaide terug en verhoogde mijn snelheid.

Bij de kale bomen aangekomen keek ik omhoog. De buizerd zat ineengezakt op een dikke tak. Hij leek geen plan te hebben voor de rest van de dag.

Bulgaria

Na het inleveren van mijn ochtendplas kroop ik weer terug in bed. Het was tien uur, de televisie stond al aan. Nog verdoofd van de slaap keek ik naar de eerste livebeelden van het wereldkampioenschap 2005 in Madrid. De renners waren net gestart en moesten nog 270 kilometer afleggen op het stratencircuit. De Nederlandse verslaggevers Smeets en Ducrot zagen geen snars van de wedstrijd. Er viel te veel zonlicht in hun commentatorhokje, ze konden het beeldscherm niet goed zien. Ze moesten gissen naar de naam van de eerste renner die uit het peloton ontsnapte.

'Het is Krasimir Vasilev!' hielp ik. Vasilev droeg het woord *Bulgaria* op zijn shirt, dat niets met yoghurt maar alles met zijn land van herkomst te maken had. Hij had na één ronde al een vermoeid gezicht en hield zijn hoofd scheef terwijl hij door de lege straten reed. Madrid deed denken aan het verlaten Houston in afwachting van het binnenrazen van orkaan Rita.

Het woord 'saai' viel op tv. Een wereldkampioenschap saai? Nooit. In de klassieke muziek vinden we een prelude de gewoonste zaak van de wereld. Het voorspel sleept je bijna geniepig naar het hoogtepunt. De lange wielerdag is uitgevonden om in je eigen geest te dwalen, er is alle tijd van de wereld. Kom daar maar eens om op een normale werkdag.

Ik maakte een kop thee en ging op bed zitten. De oude Bulgaar reed over de kilometerslange Paseo de la Castellana tussen de twee schuin gebouwde banktorens door. Mijn lief keek even mee. Ze meende een plein te herkennen dat we ooit met onze eerste auto genomen hadden. Ik herinnerde me dat het oude tweedehandsje na een mooie hotelnacht was opengebroken. De Spaanse dief had alleen een handdoek gestolen.

Vasilev maalde voort op een te zwaar verzet. Zijn verzorger stond langs de kant met een rode bidon waarop het jaartal 1967 stond. Was het een familierelikwie en had Vasilev senior er vroeger ook uit gedronken? Het ding was verkleurd door de zon. 'Kijk, iedereen is zich aan het voeden,' zei Ducrot op tv. Voeden. Ik kreeg zin met een kruiwagen vol brood en schillen de internationale wielertrog te vullen. Vreten, jongens, vreten, nog 250 kilometer.

Saai? Noem mij een dag waarop je uren naar een fietsende Bulgaar kunt kijken? De kenners die deze koers saai noemen, weten van zichzelf dat ze eigenlijk geen minuut van de koers kunnen missen. In de middag besloot ik het laatste deel van de wedstrijd bij vriend Peter te kijken in Heerjansdam. Het was maar een kwartiertje rijden en toch was het of ik als junk de methadonbus had gemist. Het zweet brak me uit.

Op de bank voor de tv grossierden we in mogelijke winnaars: Valverde, Van Bon, Vinokoerov, Bettini. De sprinters zouden het tegen deze mannen afleggen.

Vasilev stapte af. De Bulgaar leek wel honderd.

Paolo Bettini reed sensationeel sterk. Zo sterk, dat hij — gewild of ongewild — in een positie kwam dat zijn Italiaanse ploegmaat en sprinter Alessandro Petacchi er niet meer bij kon komen. Bettini moest het alleen opknappen in een sterke kopgroep. Maar zowaar, de Fransen en Australiërs gingen op kop rijden en hielpen de Italiaanse ploeg weer aan een degelijke positie in de wedstrijd.

De koers ontplofte als een granaat. Ik sprong op van de bank. Links en rechts vlogen renners over de weg. De ontwikkelingen waren niet bij te houden; ondermijning van het gezag, geschonden beloftes, hypocrisie en verraad. De spanning in Heerjansdam werd ondraaglijk. Peter en ik stonden als onbehouwen fans voor de televisie te schreeuwen. 'Ontsnappen. Gaan! Nee, blijf zitten. Kijk uit, achter je. Ze komen niet meer terug. Wat? Ze komen verdomme wél terug. Gaan, Boogerd. Daar, een gaatje. Hè? Wint Boonen? Ongelooflijk.'

We zakten terug in de bank. Dit was fietsen in zijn puurste vorm: hard trappen om eerste te worden. Dit was de mooiste eendaagse wielerwedstrijd van het jaar. Om stil van te worden.

Terugtrappen

Meer dan zes uur koude regen doet niemand goed. De herfst had toegeslagen in Zwitserland, waar het wielerpeloton de klassieker Het Kampioenschap van Zürich reed. 'Er gaan lijken binnenkomen,' voorspelde een wielercommentator. Ik ging er thuis eens goed voor zitten. Bodybags aan de meet.

De televisie toonde beelden vanaf een fiets. Links een paar verkleumde vingers bij de rem, rechts een stukje van het stuur. De beelden kwamen van een cameraatje dat bij de Zwitserse wielrenner Aurélien Clerc op zijn frame was gemonteerd. Maar 'Zürich' was deze keer geen wedstrijd voor technische snufjes. Te veel regen. De lens was beslagen.

Voor een camera vanaf een motor rechtte Paolo Bettini zijn rug. De Italiaanse renner woont in het kustplaatsje Cecina, waar het in de zomer altijd naar pijnbomen ruikt. Hij zat deze zondagmiddag als een wintersporter op de fiets. Hij droeg overschoenen, been- en armwarmers, een extra jasje en dikke handschoenen. De Zwitserse wielerfans steunden de renners op de heuvels met aanmoedigingen die bij een skislalom horen. Hop, hop, hop!

Bettini at tijdens de koers tijdig zijn buikje rond. Daardoor kreeg de kou geen vat op hem. Hij bleef zo soepel dat hij zelfs met losse handen kon eten. De woede over het WK van Madrid

— hij was de sterkste geweest, maar Tom Boonen won — zat nog in iedere vezel.

Bettini trok ten strijde. Hij ontdeed zich al fietsend van zijn beenwarmers. Een circusact op twee wielen. De beenwarmers gingen omhoog, omlaag, weer omhoog. Hij leek afwisselend op een voetballer met afgezakte kousen, op een balletdanser, op een hoer met jarretels.

Uiteindelijk kreeg hij ze, balancerend op het zadel, over zijn schoenen heen. Ze bleven haken aan zijn hak, hij rukte en rukte, de beenwarmers leken wel van elastiek, zoals Bettini zelf van elastiek leek, onaangedaan door de kou van de dag.

Ondertussen moest de Zwitser Clerc met het cameraatje op de fiets afhaken. Hij filmde zijn eigen ondergang en kroop over de weg. Bettini reed bij een klim weg uit de kopgroep. Even ging het mis. Hij schakelde verkeerd waardoor de ketting naast het voorblad schoot. Bettini rommelde met zijn hand aan de fiets en zwalkte in laag tempo over de weg. Hij overzag de ellende onder zich en wist de oplossing. Terugtrappen.

Bettini trapte terug, op een berg. Terugtrappen, dat doe je niet. Dat deed je vroeger, op je eerste jongensfiets met terugtraprem. De ketting ratelde over de tandjes. Hij trapte nog een keer razendsnel terug en ja, de ketting viel weer goed. Hij ging op de pedalen staan en reed weg van zijn genaderde tegenstanders.

Bettini won met grote overmacht. Hij was alweer warm toen de andere renners over de finish kwamen. Ze stapten stijf van de fiets en hesen zich als oude mannen in droge trainingspakken, de bodybags van de onderweg gestorven renners. Op hun gezichten stond maar één woord: koud.

Luipaard in zwart-wit

Theo Bos is tweevoudig wereldkampioen sprint op de baan, wanneer hij in 2008 in Manchester onttroond wordt door de Brit Chris Hoy. Datzelfde jaar wint Hoy de gouden olympische medaille in Peking. Theo Bos besluit over te stappen naar de weg.

Op een avond in het najaar van 2006 staan Bos' ogen nog gericht op de baan.

'Ben je met de auto?'
  'Ja, ik rij op de Vondelweg.'
  'Dan ben je vlak bij mijn huis. Rechtuit.'
  'Hoever is het nog, Theo?'
  'Een kilometer.'
  'Hoelang doe jij daar over?'
  'Ongeveer één minuut.'
  'Haal ik met de auto ook.'
  'Lukt je nooit. Er komt een rotonde.'

Theo Bos heeft gelijk. Ik rij al anderhalve minuut door hartje Alkmaar en zoek zijn huis. Ik bel nog maar een keer met mijn mobieltje. Vanaf het balkon van zijn appartement loodst hij me naar zijn straat. Hij komt naar beneden, ik mag onder de nieuwbouwflat parkeren.

Binnen in zijn huis loop ik in de gang tegen een ingelijste poster. 'Die moet nog weg daar,' zegt hij, verontschuldigend. Ik bestudeer de grote foto. Theo Bos fietst over de baan, het ideale atletische lichaam snijdt in perfecte zit zowat door het fotopapier heen.

De sprinter is in de keuken met een busje oploskoffie in de weer. Het verraadt dat dit huis niet bedoeld is voor gezelligheid. Als ik rondkijk, valt het me op dat alles zwart of wit is. Zwarte plavuizen, zwart keukenblok, zwarte breedbeeldtelevisie, zwarte bank, witte muren, witte kozijnen, wit plafond. Heel stijlvol.

In het midden van het appartement staat een spinner, met het stuur naar de televisie gericht.

'Jij bent de modernste monnik van Nederland,' zeg ik.

Theo kijkt rond in zijn eigen ruimte. Hij is hier vijf dagen in de week. Hij verhuisde naar Alkmaar, omdat deze stad een goed geoutilleerde wielerbaan heeft.

'Ik vind het mooi, zo'n strakke inrichting. Je moet zo min mogelijk troep in je huis hebben, dan hoef je niet op te ruimen, kost alleen maar energie. Ik leef heel minimalistisch en functioneel. Trainen, slapen, eten, dat is het eigenlijk.'

Hij gooit een paar schepjes oploskoffie in een tweede mok.

Een paar dagen geleden zat ik op het middenterrein van de overdekte wielerbaan van Alkmaar. Het was de eerste trainingsdag van de Nederlandse baanploeg. Bondscoach Peter Pieters stond aan een tafeltje met rotzooi. Dozen met Brusselse wafeltjes, hoge kannen waar je zelf koffie en thee uit moet tappen. En lijstjes. Lijstjes namen met daarachter handgeschreven, handgeklokte tijden.

Midden op de houten baan reed een clubje renners in de rondte. Theo zat naast me op een bankje, in regenboogtenue, zijn fiets binnen handbereik tegen een hek. Hij trok het achterwiel uit het frame en pakte een forse verchroomde sleutel. Met de handigheid van een mecanicien draaide hij een tandwieltje los, schroefde er een ander voor in de plaats. Met een grote sleutel draaide hij het tandwiel stevig aan. Muurvast. Theo stak het wiel weer in het frame en tikte met de sleutel nog even tegen de ketting, om de spanning te controleren.

'In een wedstrijd rij ik meestal met 14 tandjes achter, voor 51. Op de training wissel ik heel vaak. Dan doe ik er een 13 op. Of juist een lichtere, 15 of 16. Om het lichaam een beetje te pesten. Je moet het blijven prikkelen. In een wedstrijd trap ik met de 14 ongeveer 165 keer rond. Met een 16 is de trapfrequentie misschien wel 185. *Overload* is bij een training superbelangrijk; meer doen dan normaal bij een wedstrijd. Die zenuwen op mijn spieren moeten dan extra snel aanspannen. Ik kan alle zenuwen in één keer aanzetten. Een sprinter heeft veel meer zenuwen dan een minder getraind iemand. Zoals jij.'

Klopt. Ik train te weinig. Het komt er doordeweeks niet van. Veel te druk met andere zaken. Geen monnikenbestaan. Fietsen is bijzaak.

Daarbij komt dat ik de laatste weken niet lekker op mijn zadel zit. Mijn linkervoet wordt koud na een kilometer of vijfentwintig, het lijkt of ik voortdurend naar voren glijd en ik heb last van een afgeknepen zak. Zou mijn frame soms te klein zijn?

'Ik zit volgens mij niet goed, Theo.'

De oploskoffie is inmiddels aangelengd met kokend water. Ik laat de mok nog even onaangeroerd en stap op de chromen spinner af. 'Mag ik er even op, om te laten zien hoe ik zit?'

'Tuurlijk.'

Ik spring erop en voel meteen hoe lang Theo is.

Theo komt omhoog van de bank en zet het zadel lager. 'Als je met de hak van je schoen op het pedaal staat, moet je been recht zijn. Zonder knik. Als je in je pedaal zit, hou je een klein knikje over bij je knie. Je mag best een beetje hoger zitten, zie ik.'

'Mijn fietsenhandelaar zegt dat je in deze stand meer *hefboom* à la Armstrong krijgt, vanuit je dijbeen,' zeg ik.

Theo kijkt naar me. Armstrong? Wat doet die naam hier in het pand? *Who the fuck is Armstrong?* Weet hij wat een sprint op de baan is?

'Zoals je nu zit, breng je je kracht maximaal over op je fiets. Dit is een goede zit. Als je nu nog last houdt van die voet of je zitvlak, moet je eens van zadel veranderen, dat kan veel schelen. Of misschien zitten je schoenen te strak,' zegt Theo ijzig kalm.

Ik stap af. Theo gaat erop. Hij zet het zadel weer hoog en laat zien hoe hij een staande start doet. Hij gooit zijn lichaam naar voren zodra de fiets los is, alsof hij als honderdmeterloper uit een startblok komt. 'Na de eerste pedaalslag rij ik al 15 kilometer per uur. Bij de tweede pedaalslag moet ik echt fietsen. Het is zaak zo snel mogelijk tempo te rijden, net als mijn broer Jan bij het schaatsen na de start zo snel mogelijk wil glijden. Ik zet mijn pedaal bij de start altijd evenwijdig aan de baan, op dat punt is de krachtsoverbrenging maximaal. En ik let er altijd op dat mijn heup in één lijn met mijn voet staat. Dan trek ik op, uit het zadel, halverwege de baan ga ik zitten. Tellen doe ik niet, ik weet precies waar ik op het zadel ga zitten, ik doe alles op gevoel.'

Terwijl Theo zonder nadenken een paar keer de trappers ronddraait, let ik op de stand van zijn voet. Krachtig en secuur. Ik haat fietsers met een lelijke stijl. De Amerikaan Levi Leipheimer is er zo een. Afzichtelijke renner. Het komt door zijn pedaalslag. Alsof je een eend een brandende aansteker onder zijn poten houdt. Daarbij vergeleken is Theo een stilist; alle spieren en pezen worden met één doel aangespannen. Energieverkwisting is uit den boze,

'Toevallig dat je over de stand van mijn voet begint,' zegt Theo. 'Ik had op de training een gesprek met Tim Veldt, ook een sprinter. Voor mijn gevoel maak ik een aaibeweging met mijn voet als ik fiets. Tim zegt dat ik mijn voet juist strak en horizontaal hou. Als hij achter me rijdt tijdens de training is mijn kuit blijkbaar altijd aangespannen. Tim beweert dat ik zo optimaal gebruikmaak van mijn kracht. Als je veel met je kuit werkt, kun je langer doorgaan met je hele been.'

Wie Theo Bos op zijn fiets ziet zitten, weet dat die twee voor elkaar geschapen zijn. De fiets voegt zich met plezier naar het lijf van Bos.

'Er zit een rug op,' zeggen kenners over Theo Bos. Ja, maar Bos heeft ook machtige dijen en een ferme kont waar vrouwen meer in zien dan alleen een prettig zitvlak. En dan het gezicht en de stem: zo nuchter als een glas volle melk bij een ontbijt.

De avond valt over Alkmaar. Aan de voorkant van zijn appartement kijkt Theo Bos uit over een binnenhaventje, waar hippies hun flowerpowergeschilderde woonboot in ere houden. Ze hebben geen idee wie die jongen is die zo vaak in huis op die fiets zit en ondertussen televisie kijkt — gordijnen heeft hij nog steeds niet aangeschaft.

Het gezicht van Theo wordt witter en witter. Naarmate de avond vordert, krijgt hij steeds meer trekken van zijn schaatsende broer Jan.

Hij loopt naar de koelkast.

'Ook een cola light?'

'Heb je geen gewone?'

'Nee, is niet goed voor me.'

Ik ben ook opgestaan van de bank en loop naar het keukeneiland.

'Kook je altijd voor jezelf?'

'Ja, meestal wel. Koken is niet zo moeilijk. Ik maak pasta, zonder saus maar met veel verse groenten. En ik eet veel biefstuk. Nooit varkensvlees. Thuis bij mijn ouders in Hierden kregen Jan en ik ook altijd biefstuk. De slager gaf hem mee aan mijn moeder. "Hier, voor de jongens, kunnen ze er weer tegenaan." Mijn ouders zijn echte vleeseters. Toen Jan en ik in de sport gingen, vonden mijn ouders dat we goed voor onszelf moesten zorgen.'

Theo komt drie, vier keer in de week bij de slager. Hij kan de zaak door zijn zijraam zien. Door het schijnsel van de lantaarnpaal zie ik CULINAIR SLAGER op de pui staan. Het slagersmeisje vraagt zich ongetwijfeld al maanden af wie toch die knul is die altijd hetzelfde bestelt.

'Een biefstuk van de haas van 300 gram of zo, bestel ik dan. Best duur, hoor. Dan pakt ze het in en bij het weglopen zegt ze vaak: "Nou, dat wordt weer een lekker maaltje, meneer!"'

Thuis gooit Theo Bos de biefstuk in de pan. Om en om bakken. Rood van binnen. 'Vlees is belangrijk. Er zit creatine in, een belangrijke stof voor een sprinter. Ik ken een Maleisiër, Ng heet hij, twee letters, heel rare naam, die had nog nooit van zijn leven vlees gegeten. Die mist dan die creatine uit het vlees. Hij was net als ik bij de keirinwedstrijden in Japan, deze zomer. Nou, ging hij toch maar eens aan het vlees daar. Begon zijn maag te rommelen, ja, zijn enzymen worden niet aangemaakt, dus hij ging verschrikkelijk aan de schijterij. Is onze Ng maar weer met vlees eten gestopt.'

Theo Bos reist stad en land af met zijn sprintfiets. Hij doet mee aan alle belangrijke toernooien, is te zien tijdens wedstrijden op ouderwetse betonnen banen in Frankrijk, is de showman tijdens zesdaagsen en zit in de zomer twee maanden in Japan voor de keirintoernooien.

Bij 'thuis' denkt Theo niet aan zijn woonplaats Alkmaar. Thuis is Hierden, het dorp waar hij opgroeide, bij zijn ouders op de boerderij, met zijn oudere broers Willem, Jan en Anton.

Door de open ramen van zijn Alkmaarse appartement waait het geplop van een zware Harleymotor naar binnen. 'Ik moet nog steeds wennen aan de geluiden. Vooral 's nachts. Alkmaar is natuurlijk geen grote stad, maar het is hier nooit stil. Ik slaap maar met de ramen dicht. Ik leef hier voor mijn beroep. Zodra het kan, ga ik weer in Hierden wonen.'

De wereldreiziger Theo Bos: hij kan maar niet loskomen van het leven op het platteland. In de weekenden gaat hij vaak terug naar Hierden. Zodra hij op het erf uit de auto stapt, weet hij al wie op hem wacht. Dinky, de trouwe hond. 'Dinky, die mis ik hier echt. Het is zo lekker als je hond op je af komt. Ik ga meestal met hem wandelen op het land. Onze boerderij is omgebouwd tot woonhuis. Het leven is simpel daar. Je leest een krantje, zegt iedereen gedag. 's Zomers loop ik de tuin in, dan kijk ik naar het weiland. Je kunt heel ver kijken.'

Opa woont naast de ouders van Theo Bos. Theo gaat altijd even bij hem langs. Een man van drieëntachtig jaar, bij droog weer zit hij op het houten bankje voor het huis. Het is stil, het uitzicht weids. Theo, weer gewoon de boerenjongen, schuift aan, Dinky kwispelend in de buurt.

'Hoi opa, alles goed?'

'Dag Theo, mooi dat je er bent.'

Dan valt het alweer stil. Dinky snuffelt in het gras. De paarden lopen verderop in de wei. De pony kijkt even op. Hierden. Simpel. Groen. Theo snuift de geur op. 'Om je heen kijken is al genoeg.'

Als zijn moeder het eten klaar heeft, schuift hij aan. Hierden, waar de schaduw van de Nederlands Hervormde Kerk over de huizen draait. In het dorp is iedereen nog steeds streng in de leer. Theo is ook met de Bijbel opgevoed. Aan tafel wachten met eten, eerst bidden.

'Ik ben nog steeds gelovig,' zegt Theo. 'In de kerk kom ik al jaren niet meer. Het kon ook niet meer, Jan en ik moesten in het weekend altijd sporten. Ik ben vrij rationeel, alles — zeker in het fietsen — moet voor mij te verklaren zijn. Het geloof heb ik nooit als een juk ervaren, mijn ouders gingen er vrij mee om. Ik zat in het dorp op een basisschool met de Bijbel. Als ik later kinderen neem, wil ik dat ze dezelfde opvoeding krijgen. Ik denk heel simpel: als je goed leeft, ga je naar de hemel. En een moordenaar gaat naar de hel.'

Theo Bos neemt de Bijbel niet mee in zijn reistas. Hij holt ook niet naar het nachtkastje van een hotelkamer om te kijken of er een in de la ligt. En toch, er zijn momenten op de baan dat hij even contact met boven zoekt. 'Voor een wedstrijd zit je vaak te piekeren. Ik vraag dan om kracht, om durf, een steuntje in de rug. Als de wedstrijd goed is afgelopen, vergeet ik op de baan vaak te bedanken. Na een week denk ik dan: shit, vergeten! Wat ben ik toch slecht. Als ik ergens helemaal alleen ben, bedank ik alsnog.'

'Heb je al boete gedaan voor onze olympische nacht in Turijn?' vraag ik.

Hij begint te lachen. Dat was in het voorjaar van 2006. Ik zie hem nog staan in de gang van het hotel waar we alle twee een kamer hadden, het werd al bijna ochtend. Hij met een wit bekkie, warrig haar. Totaal naar de kloten na een nacht stappen in Turijn.

We waren samen op uitnodiging van de NOS te gast in de late sportshow van Mart Smeets. 's Middags maakten we eerst samen een filmpje. We fietsten op gehuurde mountainbikes de heuvel Superga op, even buiten het centrum van de Piemontese hoofdstad. Tijdens een noodweer crashte daar op 4 mei 1949 een vliegtuig tegen de kathedraal op de top. Aan boord zat het sterrenelftal van voetbalclub Torino. We brandden een geluks- kaarsje naast het altaar, voor broer Jan, die de 1000 meter op de Olympic Oval moest rijden.

Theo herinnert zich het klimmen en dalen op de Italiaanse heuvel, in het frisse voorjaar. 'Shit man, jij reed in een gloed- nieuw kostuum. Bij de afdaling scheurden we met 75 naar bene- den. Het begon te regenen. Je zat onder de modderspatten. Heb je dat pak nog schoon gekregen?'

'Stomerij, hè.'

'Toen zag ik dat je nog wel aardig kon klimmen.'

'Beter dan sprinten, ja.'

Theo en ik hadden op de tribune van de ijsbaan naast el- kaar gezeten. Onze aanmoedigingen mochten niet baten. Met de lange nacht stappen probeerden we de mislukte 1000 meter van Jan te vergeten. Vanuit het Holland House slenterden we naar de uitvalsweg. In het donker moesten we bijna een half uur wachten op een taxi. We namen er een die eigenlijk voor ande- ren bestemd was. Theo en ik wurmden ons erin. We riepen het adres van het hotel. De chauffeur deed er drie kwartier over het te vinden.

'Ik weet nog goed dat je zei: zo'n nacht doorzakken is zó slecht voor mij.'

'Ja. Eigenlijk kon het ook niet. Maar ja, mijn broer schaatst één keer in de vier jaar op de Olympische Spelen, daar moest ik gewoon bij zijn. Ik had net een goede trainingsperiode gehad. Af en toe moet dan de druk van de ketel.'

Theo kon die nacht niet meer slapen, binnen één uur kwam de taxi om hem naar de luchthaven te rijden. Daar stond een vliegtuig klaar dat hem naar Sydney zou brengen voor een sprinttoernooi.

'Merk je wat van zo'n nacht stappen en meteen daarna een lange vlucht, als je weer op de fiets zit?'

'Ja, meteen. Je spieren zijn strammer. En als je een sprint trekt, haal je je topsnelheid niet. En toch, soms is het goed om even de weg kwijt te raken en je lichaam door elkaar te schudden. Een stapnacht in het seizoen is niet goed, dan werkt het carrièreverkortend, maar die dag kon het. Ik ben 23 jaar hè, mijn lichaam is sterk genoeg. En ik ben later in het jaar gewoon wereldkampioen sprint geworden op de baan van Bordeaux. Dus...'

Theo pakt het boek *Te midden der kampioenen* van journalist Joris van den Bergh erbij. Het is een sportboek uit 1929. Het gaat over Piet Moeskops, de legendarische sprinter uit de jaren twintig. Theo legt het vergeelde exemplaar op de inductieplaat van het keukeneiland. Hij slaat het boek open en zoekt.

'Hier,' zegt hij bij een foto, 'dat is Moeskops.'

De renner is vlezig en gespierd.

'Jammer dat ik niet in die tijd van Piet Moeskops fietste. Ik kijk graag naar plaatjes uit die periode. Ik hou van zwart-wit, je denkt ook zwart-wit, over die tijd. Die duizenden mensen op de tribune. Met petten en hoeden op. Baanrennen was een volkssport. Ik ben net zo compleet als Moeskops. Hij was een natuursprinter, ik ook. Je hebt ook gemaakte sprinters. Wij hebben het van onszelf, zet ons op een fiets en we rijden meteen hard.'

Al bladerend in het boek zie ik een foto van een beeldhouwwerk; een blote man op een kaal fietsframe zonder wielen.

'Mooi beeld van Moeskops, hè? Het is in 1929 gemaakt door een Italiaanse beeldhouwer, Ezio Roscitano. Moeskops was beroemd. Hij werd vijf keer wereldkampioen op de baan. Ik ben al een tijdje op internet bezig om het beeld op te sporen. Een kopie van deze foto heb ik naar een familielid van Moeskops gestuurd. Heel gek, die man wist niet eens dat er zo'n beroemde wielrenner in zijn familie zat. Ze zijn de hele stamboom nagegaan.

Maar dat beeld van Roscitano, nooit teruggevonden. Ik zou het zo graag een keer zien.'

Theo's vingers glijden over de foto in het boek. 'Die houding, hij zit perfect op de fiets. Heel diep. *Supercool*. Echt heel diep.'

Ik pak het boek en lees in een passage dat Moeskops tijdens het poseren voortdurend inpraatte op Roscitano. Moeskops zag zichzelf stukje bij beetje worden nagebouwd en vond de spierbundels wat overdreven uitkomen. Moeskops zou gezegd hebben: 'U maakt het te zwaar, vooral de beenen.' En de beeldhouwer antwoordde: 'Ik wil er op hevige wijze de kracht in uitdrukken.'

Theo Bos houdt van wielerhistorie. Vlak voor het slapen gaan een paar pagina's over Moeskops en hij heeft de dag erop genoeg energie om te trainen. Hij bestudeert de ouderwetse poses op de vergeelde foto's.

Fotograaf Rens Horn portretteerde Theo Bos eens in zo'n houding. Horn liet hem op zijn fiets poseren op de baan van Alkmaar. De neus van de rechterschoen van Bos steunt op de houten latten, het linkerpedaal staat op de juiste hoogte om kracht te kunnen zetten. Theo kijkt recht in de camera. Ik zie de stilte voor een krachtexplosie. Als je de foto's van Moeskops en Bos naast elkaar houdt, zou je willen dat die twee elkaar konden beloeren in de sprint van de eeuw.

Theo weet dat er ergens in het boek een treffende uitspraak van Moeskops staat over de puurheid van een sprint. Een echte sprint wordt pas op de streep beslist, in een eerlijk gevecht. Theo zoekt naar de passage. 'Moet je horen. Hier heb ik hem. Moeskops zegt dat je bij een sprint je tegenstander niet te hard mag passeren. Met twee lengtes verschil winnen is niet goed. Dan toon je geen respect. Je moet nooit hard doorrijden om één lengte van een fiets te pakken op de ander. Ik ben het daar wel mee eens.'

Zijn mooiste sprints reed Theo Bos tijdens het wk in Melbourne in 2004. Hij haalt ze met gemak voor de geest. Theo begint over de kwartfinale. Hij moet tegen de Engelsman Jamie Staff.

Theo gaat erbij staan. Hij houdt een denkbeeldig stuur in zijn hand, trekt de grimassen bij de laatste meters als zijn spieren bijna verzuren. Als hij, vlak bij de kookplaat, bij mij in de buurt komt, duwt hij met zijn schouder tegen me aan. Ik ben die Engelse sprinter geworden, onder hem in de baan, en hij moet en zal over me heen razen.

Het is of Theo de hele sprint met Jamie Staff in Melbourne met drie camera's heeft geregistreerd. Eén vanuit een vliegend helikoptertje, één vanaf zijn stuur, één vanaf zijn helm. Ik mag als enige toeschouwer op zijn schouders mee de baan op. Hou je vast, daar gaan we.

'Die Staff beweegt zijn fiets helemaal niet, hij is net een tank. Hij zit stil, maar kan ontzettend hard rijden en versnellen. Komt uit die bmx-wereld. Power. Ik wist: die kan op een goede acceleratie een wedstrijd winnen. Dat soort gasten schiet aan je voorbij. Boem! Ben je geklopt. Ze rammen die bocht door en dan moet jij er maar overheen zien te komen. Dat ga je nooit redden. Echt niet.

Ik ga de baan op. Ik start boven in de baan. Ik dacht: ik zal jou eens opdrijven naar je topsnelheid, dat je heel lang op kop moet rijden. En dan passeer ik je in de laatste bocht. Passeren, gelanceerd komen en door. Zoals het hoort, hè?

Het liep een beetje anders.

Hij versnelt, ik rij onder in de baan, daar ga ik, gelanceerd! Hij versnelt nog eens, heel erg hard. Ooo, zeg! Fuck. Dat gaat rap. Ik zie 'm gaan. Shit. Wordt moeilijk, rammen, rammen, wordt moeilijk. Ga ik het redden of niet? Wordt echt moeilijk! Ik kom dichterbij... dichterbij... dichterbij... Ingaan bocht, rechte stuk... rechte stuk... dichterbij... in de buurt van de finish... ik kom ernaast, kom ernaast, kom ernaast... en ik ga zo een jump maken. Zo! Ik heb 'm of ik heb 'm niet. Streep. Ik jump, hij ook een jump! Trekt zijn voorwiel iets op, komt neer, helemaal schuin die fiets. Maakt een slinger. Shit! Haal het niet. Door die slinger. Hij raakt me.

Beng!

Onderuit. Ik glij zo over die baan. Door de bocht heen. Superkut, superklote, ben helemaal kapot. Als je na de finish doorfietst, herstel je alvast een beetje. Je spieren pompen het bloed nog door. Maar bij een val, als je in één keer stilligt, dan moet je hart extra had pompen om het bloed rond te krijgen. Ik lig op de grond, denk: wat is er met mijn hart aan de hand? Pompen, jongen! En ik wist dat ik verloren had. Helemaal naar de kloten.

Maar goed, ik heb nog twee kansen. Volgende twee ritten winnen. Ik trek een nieuw snel pak aan. Trek de splinters van de houten baan uit mijn benen. Waren er zo veel. Laat maar zitten, denk ik. Rugnummer op. Weer starten.

Halve ronde nog. Hij rijdt iets omhoog, ik ga gelijk het gat in. Hij stuurt naar beneden. Baf! Hij duwt me. Ik zit in de bocht. O, o. Ik val gelijk om. Tak! Recht op mijn ribben. Ik... eh... zonder adem. Knal. Wedstrijd afgeschoten.

Opnieuw starten.

Weer rijden. Aanvallen, denk ik. Niet afwachten. Aanvallen. Voor de één na laatste bocht moet ik al naast hem zitten. Als mijn stuur vóór het ingaan van de laatste bocht voor het stuur van mijn tegenstander komt, kan ik winnen. Dan heb ik een hogere topsnelheid en dan zit hij, zeg maar, te wrikken. Dit was mijn plan. Hij zet aan, ik kom er gelijk naast. Hij werken. Bocht door, boven elkaar, doorrijden. Ik haal het, ik haal het. Finish. En baf! Bijna niet te zien met het blote oog, maar ik voel: hebbes.

Nog één rit. De beslissende.

En, goed, dat was een sprint, uh, uh, uh! Ga ik 'm halen of niet uh, uh, ja ik heb 'm!

Hij had elke keer dezelfde tactiek, bleef gewoon onder in de baan. Ik erachter. Hij steeds in de bochten accelereren en op het rechte stuk wachten. In de bochten versnelt hij, zodat ik niet omhoog kan omdat hij dan te veel voorsprong pakt. Engelse tactiek, eigenlijk een beetje dom van hem. Dus ik moest laag blijven. Ik ging op het rechte stuk wat harder rijden op de momenten dat hij rustiger aan wilde doen. Opeens ging ik hoog rijden. Ik zat boven al naast 'm. Hij moest mee omhoog. Hij wilde bij me in de buurt blijven. Zat-ie hoog, wist-ie niet wat-ie moest doen. Ik, bam! Onderdoor. Hij mee naar beneden. Nog anderhalve ronde. In de bocht, ik omhoog, hij weer omhoog. Hij gaat veel te langzaam. Dus ik ga. Boem! Over hem heen. Ik heb die gozer niet meer gezien.'

Bos in de halve finale.

Later wint hij ook de finale. Theo krijgt de regenboogtrui.

Zijn eerste.

Ogenschijnlijk doet Theo Bos niet veel op een gemiddelde trainingsochtend. Ik zag hem op de baan in Alkmaar een beetje warmrijden, prutsen aan zijn fiets, wat eten en drinken, kletsen met andere baanrenners en met baancoach en oud-renner Peter Pieters. Zestig meter sprinten, flink uitrusten, weer zestig meter, uitrusten, dan honderd meter, weer uitrusten. En zo door.

Theo Bos wordt wel eens met een luipaard vergeleken. De hele dag met een langzame tred over het gras totdat de honger in de maag het wint van de slome geest. Dan trekken alle spieren aan voor een duizelingwekkend snelle vlucht naar de prooi. Met een paar felle bewegingen is het arme beest ingehaald. Een sprong, de tanden in het vel. En de rust keert weer.

'Tijdens een training doen we alles kort, maar wel maximaal. Het is vol gas, heel eventjes maar, en dan weer rusten. We trainen alleen maar op kwaliteit. Shimizu, je kent hem wel, de schaatser, is ook een sprinter. Als je die ziet trainen... Hij komt op het ijs, schaatst, doet één sprintje en is weer vertrokken. In mijn sport draait het om explosiviteit. Het is heel anders dan een sprint aan het einde van een Touretappe. Dat is eigenlijk geen sprint. Dat is: wie fietst er nog het hardst na zo'n lange dag van meer dan 200 kilometer? Tom Boonen is geen sprinter, dat is een hardrijder.'

Om zijn gelijk te bewijzen heeft Theo Bos een keer gesprint tegen Robbie McEwen, de groene-truiverzamelaar van de Tour de France. 'Dat won ik natuurlijk. Mijn topsnelheid ligt gewoon veel hoger. Weet je wat het is? Ik ben een compleet renner. Ze kunnen me eigenlijk nooit iets opdringen waar ik slecht in ben; ik kan hard op kop rammen, heel lang op hoge snelheid rijden en als ik eenmaal 30 kilometer per uur rij, kan ik makkelijk acceleren. Alleen vanuit stilstand naar 30 kilometer kan nog sneller. Voor de kilometer met staande start is dat nog een probleem. Daar train ik veel op.'

In het voorjaar sprak ik Theo Bos in Bergen aan Zee. Ik moest naar een hotel direct achter de zeedijk. Er zat niemand bij de receptie. Tegen de voordeur lag een laagje zand, door een straffe zeewind in de hoek geblazen.

Ik belde aan. En ja, daar was Theo Bos, in trainingspak. Hij was de enige bewoner van het hotel. Het was buiten het seizoen. Geen Engelsen voor een stevig ontbijt met eieren en worstjes, geen Duitsers, geen Fransen.

In de verlaten lobby zag ik zijn racefiets staan. Van hieruit maakte hij rondjes door de duinen, net zoals Piet Moeskops dat vroeger graag deed.

Theo heeft goede herinneringen aan de trainingsweken in

Bergen. 'De eigenaar van het hotel vond het prima. De sleutel van de voordeur lag gewoon onder de mat. Ik had kamer 10, dat werd een soort woonkamertje voor me. Eten deed ik meestal buiten de deur. Eén keer stierf ik 's nachts van de honger. Op de kamer had ik niks. Ben ik uit bed gestapt en door het hotel gaan zwerven. Moet je je voorstellen, loop ik daar in het duister door een roestvrijstalen keuken, op zoek naar brood. Ik voelde me net een dief. Uiteindelijk vond ik een krentenbol. Heb ik keurig laten weten aan de baas, de volgende dag.'

Het is elf uur in de avond. Theo doet de televisie uit die de hele tijd zonder geluid op Net 5 heeft gestaan. Ik moet weg, besef ik. Theo moet gaan slapen. Voel me even als zijn vader.

'Theo, jongen, bedtijd.'

Hij stelt het uitzwaaien nog heel even uit. Op zijn laptop laat hij een foto zien van zijn gloednieuwe frame, gemaakt bij de Hollandse firma Koga in Heerenveen. 'Het is nog een prototype. Mijn concurrenten mogen hem niet zien. Met alles erop en eraan, inclusief testen, kost de fiets zo'n half miljoen euro. Kijk, het zadel is geïntegreerd in het frame. Was mijn eigen idee. Ik heb geen zadelpen, geen boutjes meer. Het is uit één stuk. Dan is de fiets nóg stijver. Ik zit op een zadel van carbon, misschien moet er nog leer overheen. Mijn hoogte ligt vast, 82 centimeter, punt van mijn zadel 6 centimeter achter de *bracket*. Ik ben geen mierenneuker, ik zit al heel lang hetzelfde.'

Nu moet ik echt weg. Theo moet slapen.

Hij brengt me naar mijn auto. Er ligt een fotoboek op de achterbank, *Moord in Rotterdam. Diverse photografieën 1905-1967.* Oude politieplaten van dodelijke zaken. Zwart-wit, natuurlijk. Theo Bos mag het boek hebben. Ik blader naar mijn lievelingsfoto van een man met een dolk dwars door zijn hoofd. Hij ligt vredig en dood op de voorbank in de cabine van een vrachtwagen.

'Supercool,' zegt Theo.
Ik start de auto.
De wereldkampioen zwaait.
Ik toeter en neem de weg terug naar huis.
Morgen gaat mijn zadel omhoog.

Meisje Vos

Een man in een windjack trok aan een gevlochten touw de vlag omhoog. Handmatig de nationale driekleur hijsen, dat zie je niet veel meer in de sport. Dan moet je toch echt bij het volkse veldrijden zijn, bij de wielerwedstrijd 'op een veldje van stront'.

Het Wilhelmus klonk. Het publiek was stil rond het parcours van Zeddam, waar het wereldkampioenschap veldrijden 2006 werd verreden. Marianne Vos stond met een gouden medaille om haar hals op het podium. Het dunne mondje in het schrale gezicht ging open. Ze zong de eerste strofe van het volkslied mee.

Een kwartiertje eerder had ze op het bevroren parcours het achterwiel van haar rivale Hanka Kupfernagel gekozen. Op het laatste stukje asfalt kwam ze achter de rug van Kupfernagel vandaan. Vos won de sprint. Een middelbare scholiere troefde een Duitse oerprof af.

Na de finish viel Vos schreeuwend in de armen van haar verzorger. Eenmaal van de fiets liep ze dodelijk vermoeid met kromme rug en stramme benen weg. Voor de gefinishte vrouwen stond even verderop een plastic partytent klaar die we, sinds de moord op Van Gogh, herkennen als artificiële scheidswand tussen leven en dood. In het hoekje stond Kupfernagel moederziel alleen in de hoek te simpen. Even verderop zat Vos op een klapstoeltje te wachten op de huldiging.

De tv-camera vond de ouders van Marianne. Ze stonden al klaar achter het hek bij het podium. Moeder Vos, een gewone Brabantse met twee voeten op de bevroren klei, verborg haar ogen als een Italiaanse mama achter een zonnebril. Vader Vos prutste onhandig aan een digitaal fototoestelletje.

Marianne Vos ging op de hoogste trede staan. Daar klonk het Wilhelmus. Een hummeltje liet zich meenemen door de nationale hymne. Geen vrouw, nee, een meisje nog. Meisje Vos.

Ik zie Marianne voor me, in haar eigen kamer tussen opengeslagen schoolboeken, posters van Robbie Williams aan de muur. In de hoek een toilettafel vol met smeerseltjes om de onrustige huid te behandelen.

Marianne zit op haar bed, de dopjes van de iPod in haar oren. Meisje Vos neuriet mee met *Tripping* van hete Robbie. '*First they ignore you, then laugh at you and hate you, then they fight you, then you win.*'

Op het podium in Zeddam zong ze weer mee, nu met het Wilhelmus. Wezenloze woorden als 'getrouwe' en 'onverveerd' ontsnappen uit haar mond. Ongelofelijk, wat de muffe zinnen uit het volkslied bij haar losmaakten. Meisje Vos zong zichzelf de tranen uit haar ooghoeken. De zoute druppels gleden over de rode huidwondjes in haar gezicht.

Vaders lip trilde als een espenblad, moeder hield zich groot achter haar zonnebril. In het tijdsbestek van één Wilhelmus leerde ik de Vosjes kennen via een intiem familieportret. Het was vroeg in de zondagmiddag, ach, ik jankte lekker mee. Heerlijk. Winters zonnetje, gouden plak, huilend meisje.

'Heb ik altijd geëerd...'

Het volkslied stierf weg in de kou van Zeddam. Meisje Vos gooide haar armen in de lucht, alsof ze met het volkslied in de finale van *Idols* stond. Applaus voor een regenboogtrui. En nu naar huis. Vader haalt de fiets uit elkaar. Het frame is smerig. Morgen een sopje. Moeder zegt tegen haar dochter dat er nog wel wat lekkers in de koelkast ligt. Meisje Vos mag een dagje spijbelen. In haar eigen kamer hangen. Regenboogtrui aan, Robbie over de oordopjes en zingen, zingen, zingen.

Ravissant

Tom Boonen kreeg vlak voordat hij op de fiets stapte voor de Ronde van Vlaanderen de vraag hoe hij zich voelde: 'Eel goe.'

Het inslikken van medeklinkers is een mooi Vlaams gebruik, je hoort het veel tijdens koersdagen in België. Ik moet er altijd even aan wennen. Maar goed, dit is dé dag voor de Vlamingen. Zij zijn thuis, ik ben de 'inwijkeling', zoals mijn oudtante Ida Daems uit Antwerpen altijd sprak over buitenlanders in haar buurt. Eel goe.

Tom Boonen praat lekker sappig, vrolijk, met ronde toon. In Vlaanderen horen ze het liefst hun eigen taal uit de mond van een winnaar komen. Het moeten hun wielrenners zijn die in de finishstraat van Meerbeke met de eer gaan strijken.

In 1997 stond ik aan het parcours naast een klein oud kereltje dat zichzelf in dat jaar vereeuwigd zag in brons, in het centrum van zijn geboortedorp Kanegem. Het was Albéric Schotte, bijgenaamd IJzeren Briek. Hij reed de Ronde van Vlaanderen twintig keer, won twee edities en stond in totaal acht keer op het podium. Terwijl het peloton voorbijsnelde, wapperde de oud-renner uit zijn regenjas. Hij murmelde wat. De letters waren niet alleen ingeslikt, ik hoorde een heel nieuw vocabulaire.

Ze noemden Schotte de 'Laatste der Flandriens'. Flandriens waren onverschrokken vechtjassen die niet van pijn en kou wilden weten. Mannen van de streek. Ze vielen aan terwijl anderen hun benen stilhielden. Deze renners woonden in dezelfde dorpen met namen die maar één keer per jaar hardop werden uitgesproken. Alleen tijdens de Ronde van Vlaanderen.

Is Tom Boonen een echte flandrien? Briek Schotte verwoordde de eretitel zo: 'Een flandrien kan afzien. Hij is 'nun tiep van vroeger, een renner die nooit zeurt.'

Boonen kan afzien en zeurt niet. En toch is hij geen flandrien. Omdat hij geen type van vroeger is. Hij arriveerde in een zwarte sportwagen, de haren eigenwijs met gel overeind. Hij verkaste vorig jaar van Vlaanderen naar Monaco.

Zijn ploegmaat Filippo Pozzato leek in de Ronde op een flandrien, al was hij van Italiaanse makelij. Hij ramde tegen de wind in op de pedalen en vloog over de bergjes met kasseien. Pozzato reed in de heuvelzone zo hard op kop dat het gezonde sap in de benen van de andere renners plaatsmaakte voor krachtdodend zuur. Behalve bij Boonen dan.

Pozzato bepaalde met zijn sloopwerk de einduitslag.

Toen Pozzato in 2006 in de klassieker Milaan-Sanremo als eerste over de streep kwam, zag ik hoe een vrouw met microfoon over de Via Roma achter hem aan holde en alleen maar zijn naam kon schreeuwen. Het had optisch weinig met journalistiek van doen. Er was een held geboren en de wereld om hem heen veranderde in één klap.

Op de avond na de winst was Pozzato het rennershotel binnengestapt in het gezelschap van twee dames. De hele eetzaal was stilgevallen, zo oogverblindend waren Pozzato's vriendinnen.

Op de Nederlandse televisie werd gesproken van 'ravissant'. Ravissant? Ik zie zonnebrillen in opgestoken haar, ik ruik een exclusief geurtje, ik hoor tikkende naaldhakken.

Een flandrien heeft geen ravissante vriendin.

Hij heeft een anonieme vrouw, die thuis op haar soepslurpende man wacht. Een flandrien heeft een bed om in te rusten. Hij ligt onder de dekens om koersen te winnen, niet om zijn vrouw te plezieren.

Pozzato en Boonen zijn de kampioenen van deze tijd. Ze zijn mondain, zien er knap uit en tonen zonder gêne hun weelde. De Brylcreem is vervangen door gel.

De flandrien is dood, leve de vedette.

Bezemwagen

Ik moet kiezen. Of kijken naar de televisiebeelden van Parijs-Roubaix, of achter mijn huis applaudisseren voor de marathon-lopers van Rotterdam.

Niet kiezen kan ook. Eerst de marathon, daarna het fietsen.

De schoenzolen klapperen op de weg. Gehijg, gesteun. Ik sta langs de kant en fixeer me op het asfalt. Dit is de perfecte ondergrond voor de lopers. Glad en schoon asfalt, daar ren je lekker overheen. Hoe moe ook, op deze weg kun je bijna niet struikelen.

In de dagen vlak voor de marathon zag ik werkmannen van de gemeente de laatste oneffenheden wegnemen. Er werden delen van de weg opnieuw geasfalteerd, scheuren gevuld met gloeiend pek. Een egale weg is het paradepaardje van de gemeente.

Ik leun tegen een dranghek. Vanaf mijn plaats is het minder dan twintig kilometer tot aan de finish. De laatste lopers komen langs. Ze gaan vooruit met scheve voeten, één hangende schouder, een ongelijke tred. In de bocht naar de Erasmusbrug speelt een muziekgroep urenlang op djembés. Het getrommel klinkt als Afrikaanse muzak. De maatsoort hoort niet bij een hollende tweevoeter.

In de verte komt de allerlaatste loper aan. De vrouw is net

over de helft van de marathon. Voor haar liggen nog kilometers asfalt en tegenwind. Het is geen rennen meer wat ze doet, ook geen lopen of wandelen; het is motorisch gestoord bewegen. Ze komt nauwelijks vooruit. Achter haar rijden tien bezemwagens met uitvallers. Ze praat met de bestuurder van het busje. Ze loopt nog een paar passen door, stopt dan weer en stapt stram in. Direct na het laatste busje krijgt de weg een grondige beurt. Eerst het grove handwerk met een bezem van takken, daarna de veegwagens.

Het is zondagmiddag half drie. Een tijdstip waarop een wielerfan jeuk krijgt. Ik loop naar huis, een paar honderd meter van het parcours.

Ik zet de televisie aan. Vier wielrenners rijden over asfalt. Ze liggen honderd meter voor op het razende peloton. Over een kilometer komt strook 17 van Parijs–Roubaix voor hun wielen. Het Bos van Wallers. Het is er altijd druk. Toeschouwers komen tijdens deze wielerklassieker niet voor asfalt, ze willen wegen van kasseien zien, het liefst zo slecht mogelijk gelegd. De weg door het bos is opgeknapt. De ergste kuilen zijn eruit en de kant ligt er beter bij. 'Het bos is om door te rijden, niet om in te vallen,' was het verweer van de organisatie. Een supporter houdt een rood-wit reclamebord van een bedrijf omhoog met als ondertitel: grond- en afbraakwerken.

De bovenarmen van de renners schudden wild op en neer terwijl ze over de kasseien denderen. Vierentwintighonderd meter over stenen uit de tijd van Napoleon; asfalt zat nog niet in het hoofd van de mens.

Een paar kasseienstroken verder houdt de Amerikaanse renner George Hincapie opeens zijn handen omhoog, midden in de kopgroep. De stenen zijn de baas over een renner. Het stuur van Hincapie is afgebroken. Hij balanceert nog een paar meter op zijn gemankeerde fiets en slaat dan tegen het wegdek.

Hincapie blijft versuft liggen en begint te huilen. Andere renners, motoren en auto's razen langs. Hij is de sensatie van de dag, de Man zonder Stuur. Maar hij weet dat hij nu in de wagen verder moet over de kasseien. Dan kom je niet voor in de uitslag.

Ik kijk naar buiten en zie een lege weg met dranghekken ernaast. Het asfalt is maandag weer gewoon voor de auto's, de Franse kasseien voor de boeren. De zondagse sport is dan allang vergeten.

Putdeksels

Ik word altijd passief van Pasen. Ik hoef niet naar een meubel-beurs en eigenlijk ook niet naar familie. De zaterdag vóór de feestdagen had ik nog een korte opleving. Ik ging opruimen. Het bleek niet meer dan een verplaatsing van de puinhoop. Met dat besef legde ik mijn hoofd op de bank en keek hoe het laatste cij-fer van de digitale klok van de videorecorder versprong.

Zondag zou het vast iets beter gaan. Op wezenloze feestda-gen is het plezierig wielrennen kijken op televisie. In de middag gleed het peloton als een lint door het Limburgse landschap tij-dens de Amstel Gold Race van 2006. Het was misschien wel de beste voorjaarsklassieker van het seizoen. En toch geneer ik me een beetje voor de Amstel Gold Race. Hij lijkt in historie niet te kunnen tippen aan de Ronde van Vlaanderen, Parijs–Roubaix en Luik–Bastenaken–Luik. De naam deugt niet. Amstel? Doet den-ken aan een rivier en bier. Gold? Engels woord, patserig edel-metaal. Race? Auto's en motoren.

Intussen vlogen de mooie namen van Limburgse dorpen door het beeld. Vilt, Cadier en Keer, Sibbe, Raar, Beek.

Ik zocht naar Michael Boogerd. Er wordt gezegd dat hij te weinig uit zijn carrière haalt. Toch maakt zich iets van opwin-ding van mij meester als hij in de kopgroep rijdt. Zijn gezicht toont strijdlust. En dan die tanden — hij heeft er meer dan wie ook — met het afgesleten glazuur van het pijn verbijten in de finale.

Het was een wonder dat hij in deze editie van de Amstel Gold Race meefietste. Hij liep een paar weken eerder rond met een gipspoot; tijdens het spelen met zijn zoontje had hij een botje in zijn rechtervoet gebroken. Boogerd had pijn, kon niet anders.

Boogerd kende het parcours van de Amstel Gold Race als geen ander. En dat moet ook. Het is draaien en keren. Boogerd wist alles van de Limburgse klassieker. Hij kon de percentages van de Keutenberg en de Eyserbosweg in zijn slaap opzeggen. Boogerd werd derde. Knap. Hij leek er zelf op het podium ook wel blij mee.

Van het kijken naar wielrennen krijg je zin om te sporten. Ik moest en zou fietsen op de vrije maandag. Het lukte. Ik zat in mijn eigen Ronde van de Rotte. Ik rijd die route al vijfentwintig jaar. Ik weet waar de scheuren in het asfalt van het smalle fietspad zitten, ik ken de holletjes en de gaten, ik weet hoe ik de houten brug over het water moet nemen. Kortom, ik heb er parcourskennis.

Op de terugweg liggen twee putdeksels in het wegdek verzonken. Ze zitten in een bocht waar je hard doorheen kunt. Al sinds ik De Rotte fiets, probeer ik zo mooi mogelijk tussen de twee putten door te fietsen. Dan pas rijd ik een goede tijd.

Bijgeloof.

Kilometers voor de bocht ga ik al achter op het zadel zitten. Ik neem nog een slok uit mijn bidon, de handen gaan op het stuur. Daar komen ze, mijn putten. Ik zit deze maandag met de voorband precies in het midden. Geluk is een voorwiel tussen twee putten. Beschouw het als een eerbetoon van een eenvoudige recreant aan de perfectie van Michael Boogerd, met zijn ereplaatsen, zijn petje achterstevoren in de bergen en zijn nooit aflatende aanvalsdrift.

Water en Zeep

Met het wielertenue van Acqua e Sapone — Water en Zeep — in de tas vertrok ik naar het Nederlands Kampioenschap voor Journalisten. De wedstrijd werd verreden in Boekel. Ik had de afgelopen weken flink getraind om goed voor de dag te komen bij mijn fietsende collega's.

Door een file op de brug bij Zaltbommel kwam ik in tijdnood. Om kwart voor drie stond ik met de grill van de auto tegen een stalen dranghek in Boekel. Ik mocht er niet door. Het parcours was vrijgegeven aan de Heren B. Ik haalde mijn shirt uit de tas en liet het aan de vrijwilliger zien.

'Ik ben ook Heren B,' zei ik.

Het shirt maakte geen indruk. Ik reed mijn auto achteruit en vond een parkeerplek op een verlaten industrieterrein. Naast de auto trok ik mijn broek en shirt aan. Een rood pak met Acqua e Sapone op de borst, lichtblauwe zeepbellen eromheen. In deze kleding oogde ik sterker dan ik in werkelijkheid was.

Net op tijd kwam ik bij de startstreep aan. Een van mijn collega's herkende me: 'Hé, daar hebben we Frank Vandenbroucke.'

Inderdaad, Vandenbroucke had sinds een paar weken een contract bij de Italiaanse sponsor. 'Het grootste Belgische wielertalent sinds Merckx' reed voor Water en Zeep. Had hij zijn verleden vol dopinggedoe, dreigen met een jachtgeweer en zelf-moordplannen schoongewassen?

De eerste groep moest ik na twee rondjes Boekel laten gaan op het stratencircuit. Er formeerde zich een tweede groep die nog altijd hard reed, rond de 37 kilometer per uur. Het was aan-poten. Om kort te gaan, ik werd elfde van de veertig.

Vandenbroucke werd in Lombardije gesignaleerd tijdens een koersje van zestig kilometer. Voor junioren. Hij had zich inge-schreven onder een valse naam — Francesco del Ponte, het had eigenlijk Francesco del Pantalone moeten zijn — en had op zijn licentie een pasfoto van zijn Belgische collega Tom Boonen ge-plakt.

Onder toeziend oog van zijn vrouw Sarah Pinacci — die een paar jaar geleden nog in de loop van Franks jachtgeweer had moeten kijken — ontsnapte Vandenbroucke aan het knapenpe-loton. Hij reed vooruit. Eén kilometer voor de streep werd Van-denbroucke ingelopen. Hij nam meteen een zijweggetje.

Zijweggetjes.

Een zijweggetje in vakantietijd. Een zijweggetje om uit de file te raken. Ik zag ook veel zijweggetjes tijdens het Neder-lands Kampioenschap voor Journalisten. Zeker toen het me al-lemaal te hard ging. Er gaat niets boven zijweggetjes. Daar vind je rust.

De carrière van *Frankyboy* leek voorbij. Welke ploeg zou zich nog over hem willen ontfermen? Juist: Water en Zeep.

En het ongelooflijke is gebeurd. Op het moment dat ik rond-jes draaide in het Brabantse Boekel, reed Vandenbroucke zijn eerste koers voor zijn nieuwe sponsor. Hij reed óók rondjes, dertien in getal. In totaal fietste hij 199 kilometer tijdens de GP Misano-Adriatico, een serieuze koers met een klim erin. Bennati van Lampre won, Vandenbroucke eindigde op slechts 15 secon-den knap als negentiende.

Met dank aan Water en Zeep. Een renner heeft — naast een reguliere bestelling bij de Spaanse dokter Fuentes — niets meer nodig dan een warme douche en een stuk zeep. Frank en ik, wij kennen de onschatbare waarde van dit shirt. Misschien stoppen we voorgoed met fietsen. Ons shirt mag naar een talentvolle junior.

Nemen wij een zijweggetje.

Het begint nu

Het was een flutparcours in Salzburg. Rijd je een wereldkampioenschap in Oostenrijk, is de belangrijkste berg van het parcours niet hoger dan een vluchtheuvel in Assen.

Ik wist allang dat Paolo Bettini ging winnen. Natuurlijk, wie anders? Hij is de beste eendaagse renner, de Italiaanse collega's reden allemaal in dienst van hem en de beker voor het wereldkampioenschap was de ontbrekende trofee in zijn overvolle prijzenkast.

En toch probeerden vrienden mij per sms nog op andere mogelijke winnaars te wijzen. Er was ook alle tijd voor, de wedstrijd duurde de hele dag en de televisie miste geen minuut.

Bij elke ronde was de duivel in beeld. Didi Senft heet de man. Hij staat met zelfgemaakte drietand en rode mantel altijd langs de kant bij de Tour de France. De laatste jaren werd hij zorgvuldig buiten beeld gehouden door de Franse tv-regie. Zo niet in Salzburg. De duivel, een voormalige Oost-Duitser in zijn ongewassen maillot, mocht zijn dansje dansen. Op slippers, zag ik in een flits.

Ik werd nog door veel meer afgeleid. Oud-wereldkampioen Mario Cipollini zong mee met een muzikaal trio van plaatselijke bejaarden. Hij zette zelfs een jagershoedje op en leek klaar om een fazant uit de lucht te knallen.

Wat was dit voor een idiote kermiskoers?

Ik controleerde in mijn agenda of dit soms de Draai van de Kaai was, of de Malle Mozart Marathon. Op tv verscheen een man met de Grootste Krulsnor onder Persfotografen. Zie je, ik was in het verkeerde kampioenschap beland.

Smeets en Ducrot hadden ook een tik van de mallemolen gekregen. Je hoort mij nooit klagen over het Nederlandse verslag — ik doe het ze niet na — maar deze zondagmiddag leek het of ze vervuilde voedingssupplementen in de aderen hadden laten druppelen.

'Nu gaat het beginnen,' riep Ducrot om één uur. Er gebeurde niets.

'Het is begonnen,' riep hij om drie uur. Er gebeurde weer niets.

Ducrot klaagde over het gebrek aan ambitie bij de Nederlandse renners.

Smeets gaf uitleg aan de stilte voor de storm. 'Afwachten. Blijven zitten, zo lang mogelijk.'

Ik bleef thuis rustig zitten, zo lang mogelijk. Ik wachtte af hoe Bettini het over een paar uur zou afmaken.

Tegen half vier werden alle uitlopers ingelopen. Ik begon me net af te vragen of de wedstrijd al echt begonnen was, of daar was Smeets, met een Vlaams getinte zin: 'Straks gaat de koers herbeginnen.'

'Er zit weinig oranje van voren,' constateerde Ducrot. Merkwaardig. Ik telde vier Nederlanders en ze reden uitstekend. Tot in de laatste kilometers behoorden Kroon en Boogerd tot de kanshebbers. Maar ja, Bettini was in de buurt.

'Alles begint weer opnieuw,' meldde Ducrot om vijf voor vier, toen het peloton weer compleet was.

Er begon deze zondag niets opnieuw. Alles bleef bij hetzelfde: renners reden weg, werden in de kraag gegrepen, andere renners zagen hun kans schoon en sprongen weg. En zo ging het maar door. Het was hollen en stilstaan en dat is juist de schoonheid van het wielrennen.

Als een klein Italiaans jongetje met zijn eerste vaantje in zijn hand vierde Bettini het kampioenschap. Zoenen, zwaaien, zingen. Hij zei dat deze wedstrijd de sport goed had gedaan. Dat was zeker zo. Het was een wilde, pure strijd geweest.

Het voorwiel draaide nog

Mijn gemiddelde lag vandaag hoger dan normaal, rond de 33 kilometer per uur. Dit tempo moest ik vast zien te houden. Na de bocht zou ik wind mee krijgen. Het fietspad was niet breed. Het trok een smal spoor door het recreatiegebied.

Een scherpe bocht naar links. Meteen weer naar rechts. Even vijftig meter licht omhoog, dan een flauwe bocht naar rechts. Ik boog iets meer voorover. Terwijl ik de bocht door reed, voelde ik dat de daling begonnen was. Het ging hard. Mijn snelheid nam toe.

Een jongetje stond op het fietspad, met een fiets tussen zijn benen. Hij keek met grote ogen naar me en riep iets naar een man die aan de andere kant stond, vermoedelijk zijn vader.

De vader wenkte de jongen. Stom.

'Kijk uit!' riep ik.

Met de fiets tussen zijn benen liep het jongetje stapje voor stapje naar de andere kant van het pad. Ik remde. Links en rechts van het pad lag zachte klei.

Het jongetje stond nu stil met zijn fiets, hij nam de volle breedte van het pad in beslag.

Ik remde nog steeds, maar mijn snelheid was te hoog.

Niet de jongen raken, niet de jongen raken. Beter zijn fiets. Voorwiel.

Ik ramde met mijn voorwiel op het zijne. Door de klap stond

mijn fiets in één keer stil. Ik schoot los van mijn pedalen en vloog over de jongen heen door de lucht.

Achter me hoorde ik het hoofd van het jongetje tegen het asfalt slaan. Ik viel in de berm en rolde een paar keer door de klei. Gedesoriënteerd draaide ik me om. Het jongetje lag huilend midden op het pad. Zijn fiets lag over hem heen.

Het voorwiel draaide nog.

De vader moest alles gezien hebben. Hij kwam naar ons toe lopen. Het jongetje huilde en hield zijn achterhoofd vast.

'Stommeling,' zei de vader.

Ik wilde net mijn excuses aanbieden, toen ik merkte dat de man het tegen zijn zoon had.

Het jongetje, een dikkerd met een knalrode kop en witblond haar, kwam langzaam overeind. Hij huilde nog steeds.

'Rustig, rustig,' zei ik, iets te hard. 'Waar heb je pijn?'

Hij bleef snikken.

'Nooit oversteken als er een tegenligger aankomt!' zei de vader tegen zijn zoon.

Toen het jongetje zijn hand weghaalde, zag ik dat hij een flinke buil op zijn achterhoofd had.

'Het bloedt niet,' constateerde ik hardop.

De jongen zat met zijn ogen dicht.

'En luisteren, ho maar,' vervolgde de man zijn gemopper.

Hij trok aan de arm van zijn zoon. 'En ga nou eens staan, aansteller.'

Ik dacht weer aan de bonk van zijn hoofd op het asfalt.

'Hoe heet je?' vroeg ik.

De jongen stopte met huilen. 'Jesse.'

'En wat is je postcode?'

'3024 BM,' antwoordde de vader. 'Je hebt niks. Opstaan, kom op.'

Jesse krabbelde overeind en bekeek zijn geschaafde knieën.

'We fietsen omdat hij te dik is. Het helpt niks,' zei de vader. Hij kneep in de buik van de jongen.

Ik liep naar mijn fiets en controleerde of er een slag in de velgen zat. Ze draaiden nog goed rond. Aan de rand van het fietspad lag mijn bidon. Hij was vrijwel helemaal leeggelopen. Ik duwde hem weer in zijn houder.

De vader keek hoe groot de schade was aan de fiets van zijn zoon. 'Hier. Slag in het wiel. Kan er ook nog wel bij. Lekker.'

Het voorwiel liep inderdaad flink aan. Zonder het te vragen, haalde ik de spanning van de rem. De blokjes raakten de velg niet meer. 'Dat scheelt. Komen jullie thuis?'

'Als ik hem duw wel,' zei de vader.

De jongen stopte een vinger in zijn mond en wreef daarna een beetje spuug over een schaafwond op zijn elleboog. Hij keek alweer iets beter uit zijn ogen.

'Anders bel ik zijn moeder wel. Die woont hier verderop.'

Terwijl ik op mijn fiets stapte, keek ik het jongetje nog een keer aan. Hij was al iets rustiger.

'Kalm aan, hè. Thuis lekker in bad liggen,' zei ik.

Jesse veegde zijn tranen van zijn gezicht en keek me kort aan. Mijn stuur stond scheef. Met een paar flinke dreunen van mijn handpalm stond het weer in de goede stand.

Ik controleerde mijn computertje aan het stuur. Hoogst gemeten snelheid was 49 kilometer. Vermoedelijk gereden vlak voor het ongeluk. Ik stapte op mijn fiets.

'Oké, ik ga.'

Vader knikte, zonder iets te zeggen.

Toen ik wegreed, merkte ik dat mijn knie pijn deed. En mijn heup. En mijn elleboog. Ik moest de fiets de komende week maar in het hok laten staan. Met een slakkengang reed ik naar huis.

Kanonbal

Op mijn hurken kijk ik samen met baanrenner Robert Slippens naar zijn nieuwe fiets. Achter ons snellen de derny's over de houten baan van Sportpaleis Ahoy. Ik glijd met mijn vingers over het frame. Glad, geil. 'Zo stijf als een plank,' zegt Slippens. 'Moet ook, als je zo hard aan je stuur rukt.'

De hypermoderne fiets is nog niet helemaal af. In het frame — uit één stuk carbon — zit een deukje voor een bidonhouder. Dat wordt nog aangepast. Een baanrenner rijdt niet met een drinkbus.

Terwijl ik over het middenterrein banjer, krijg ik van een onbekende een boek in mijn handen geduwd. Ik mag het houden. Het omslag is van een soort boterpapier. *De kanonbal* is de titel. Op de zwart-witfoto staat een baanrenner uit vervlogen tijden. Ver voor het carbontijdperk, zal ik maar zeggen. Ik ga op een stoel zitten en blader het boek door.

De kanonbal gaat over de baanrenner Jan Pijnenburg. Hij heeft zijn vette haar in een slag achterover gekamd en zit op een oud model fiets, opgebouwd uit stalen buizen. Ik zie de schroeven en moeren uit het frame steken.

Jan heeft mooie bijnamen. Jantje Pijn. De Pijn. De wildebras uit Tilburg. En Kanonbal, wat klinkt als een charmante vertaling van 'Cannonball'. Jan Pijnenburg (1906-1979) won driehonderd wedstrijden op de piste. Hij zegevierde in de zesdaagse van Chicago, Parijs en Kopenhagen. En rookte voor en na de koppelkoers het liefst een Buffalo.

De Pijn trouwde met — en wie wil dat niet bij het horen van zo'n naam — Mimi Bierens. Mooiste uitspraak van hun dochter: 'We konden als kind geen versje opzeggen of mijn vader was helemaal in tranen. Als hij cadeautjes moest uitpakken idem dito.'

Grote kerels, kleine kinderen.

Ik krijg een voorzichtig tikje op de schouder. Het is de wedstrijdleider van de zesdaagse. Of ik het startschot wil geven voor een sprint? De sfeer in Ahoy is los, het is zondagmiddag, familiedag. Ach, waarom ook niet. Bij de startstreep zit een clubje sprinters klaar. Ik ga de scheve baan op. Het startpistool ligt lekker zwaar in mijn hand. Machtig gevoel. Een speelfilm. Zin om een boef op de tribune neer te knallen.

Ik strek mijn arm. Knal! De renners zijn weg. Op de eerste rij van de tribune zie ik een jongetje met wijsvingers in zijn oren staan.

Twintig meter van de streep zit een oude man in zijn eentje aan een tafel. Er staat een glas bier voor zijn neus. Hij wimpelt een ober af die hem een bord met vlammetjes voorhoudt. Iedere keer als de renners langskomen, draait hij zijn hoofd naar de baan. Het zou een oud-renner kunnen zijn, met die scherpe blik en uitstekende jukbeenderen. Zou hij de Kanonbal gekend hebben?

Ik bevind me tussen een grote fietsfamilie. Mevrouw Slippens roept ouderwets 'hup Robert' als haar zoon voorbij raast. Leontien van Moorsel heeft haar hondje een toegangspas omgehangen. Naam: Mopsie. Een soigneur ruikt aan zijn vingers na een massage van een renner. Zesdaagsebaas Patrick Sercu tikt met zijn keurige schoen een paar keer op de houten baan.

Het is na twaalven als het sportpaleis leegstroomt. Op het donkere parkeerterrein vind ik mijn auto terug.

Een stoplicht springt op rood. Het boek over Kanonbal ligt bij me op schoot. Ik kan weer even bladeren. Pijnenburg wint een zesdaagse in Dortmund en schreeuwt door een microfoon: 'Moedertje, hoort u mij. Ik heb gewonnen. O moeder toch, ik ben zo blij.'

Een claxon achter me. Groen. Doorrijden. De historie is voor later.

De Vogelzangstraat

Ik zou wel in de Vogelzangstraat geboren willen zijn, in een klein kotje direct aan de weg. Na een voorspoedige bevalling zou ik afgespoeld zijn met witbier, daarna mocht mijn tongetje even likken aan de schuimkraag van een verse kriek. Een grote zuster wreef me droog met een grove handdoek en zette me warm in een wiegje aan het raam, met uitzicht op het Vlaamse land.

Onmogelijk.

De Vogelzangstraat is een geheime straat, verboden terrein voor een nuchtere Hollander als ik. De straat ligt midden in wielerland, alleen toegankelijk met een Vlaamse pas. Ze spreken daar bovendien een andere taal. De Belgische tv-commentatoren geven het voorbeeld: 'De Vogelzangstraat! Nick Nuyens is weg. Je moet een kaart trekken. Nick Nuyens. Er mag een kruis over, als je het zo afmaakt!'

Doe de boeken van *Kuifje*, *Suske en Wiske* en *Cowboy Henk* de deur uit. Er is een nieuwe stripheld opgestaan. Hij zit op een fiets en vreet kasseien. Probeer nog aan de eerste druk te komen, al vrees ik dat die sinds zaterdag is uitverkocht. Titel: *Nick Nuyens in de Vogelzangstraat*.

Wielerfans loeren op de middag van de Omloop Het Volk de beroemde straat af. Een paadje van dertienhonderd meter steentjes. Andy Warhol wist niets van fietsen, maar alles over tijde-

lijke roem. Gun deze historische passage *fifteen seconds of fame*.
Veel langer hebben de renners niet nodig.

Applaus voor de Vogelzangstraat.

'Nick Nuyens, wat gaat die het zwaar krijgen om dit te houden. Drieëntwintig seconden. Nog acht kilometer. Een keer of
tien haaks draaien en hij is thuis.'

In de Vogelzangstraat komt geen post aan. De postbode kijkt
wel linker uit. Met de fiets over die kasseien? Hij is niet van lotje
getikt. Ze komen de pakketten en brieven maar aan het loket
afhalen. En het zijn niet alleen die steentjes, nee, die kale boom-
takken zonder knoppen als klauwen afstekend tegen de lucht,
beangstigend gewoon, dat doe je een normaal mens niet aan in
het voorjaar.

'Nick Nuyens, serieuze klasse. Kanonnen!'

Hij dendert zijn laatste meters over de Vogelzangstraat. Hij
heeft zich de hele dag verstopt in het peloton. Niet demarreren
in de Munkbosstraat of in Scheldewindeke. En al helemaal niet
op de Hundelgemsesteenweg. Je zult wel gek zijn als je op de
Hundelgemsesteenweg al van voren zit en op de ongelijke steentjes van de Lange Munt je kop in de wind moet duwen terwijl
iedereen weet dat je het 's Heeremeersstraatje nog voor de boeg
hebt. Nooit doen. De voornaamste les van het voorjaar: pas hard
gaan rijden op de Vogelzangstraat.

Nick Nuyens heeft een universitair diploma in de communi-
catiewetenschappen. Hij won de Grote Prijs van Prato, Parijs-
Brussel. Weegt 68 kilogram. 'Hij is niet al te groot, wel krachtig.
Ziet er goed uit!'

Nog even en de Vogelzangstraat is weer een jaar uit beeld. De
straat waar de witte was niet droogt. De straat waar een perso-
nenauto voor omrijdt. De straat die eigenlijk een weggetje is. De
straat die geen asfalt duldt. De straat waar je Omloop Het Volk
wint. Die straat dus.

Ik zie de rode vlag van de laatste kilometer in beeld verschijnen. Maar dat is te plat verwoord. Op de Vlaamse zender klinkt het zo: 'Vod van de verlossing. Nick Nuyens, op naar huis. De vogels gaan vliegen.'

Het wielerseizoen is geopend. O, o, wat was het mooi op de steentjes van de Vogelzangstraat. Ik ben er niet geboren, maar mag ik er dan op zijn minst sterven? Het liefst op een fiets.

Benen in een knik

In de wielersport kun je onsterfelijk worden door een val met dodelijke afloop.

Een renner weet dat fietsen onlosmakelijk verbonden is met vallen. Je kunt geen zekerheid ontlenen aan een bestaan op twee dunne bandjes.

Al bij de eerste beelden van de voorjaarsklassieker Milaan-Sanremo zag ik aan het asfalt dat het geregend had. Het was voor de renners geen reden om in de remmen te knijpen. Integendeel, het tempo was moordend. Een onzichtbare zweep kletterde boven het peloton. Rijden, jongens. Gewillig laten ze zich in de fuik duwen. Op naar de venijnige hellingen vlak voor de finishplaats Sanremo.

Tijdens de afdaling van de Capo Berta viel de Duitse renner David Kopp. Hij werd van zijn fiets geslingerd en lag in een rare houding stil op het asfalt. De banden van de volgauto's rolden op een paar meter langs zijn hoofd. De Italiaanse televisieregisseur besloot de helikopter boven de helling te laten hangen. Van boven zag ik de wielrenner liggen, in geknakte houding.

Leefde hij nog?

De commentator leek aangeslagen door het ongeval. 'Dit is verschrikkelijk om te zien, voor zijn familie vooral. We filteren oorlogsbeelden uit Irak. Bij verkeersongelukken zetten we er een zeiltje omheen. En dit laten we zien. Kan niet.'

Nou, het kon wel. Sterker nog, er kwam nog een camera bij, vanaf een motor. Kopp lag nog steeds stil. Er kwam een mannetje aan, hij knielde even, keek de renner in het gezicht, stond op en begon wild te zwaaien. Was Kopp dood? Ik hield het thuis niet meer. De camera in de helikopter bleef minutenlang beelden maken. Er kwamen nog meer mannetjes rond het stille lijf staan. Ik zag dat de bidon van Kopp naar de rand van de weg was gerold en stillag in de goot.

Weegee. Deze scène had de schoonheid van de foto's van Weegee, een Amerikaanse fotograaf uit de jaren dertig en veertig. Hij reed 's nachts in een oude auto door de straten van New York, luisterend naar een tetterende politieradio. Als hij een melding hoorde van een gewapende overval of een maffiose afrekening, scheurde hij op de plaats delict af.

Weegee was er altijd eerder dan de politie. Dat was zíjn sport. Hij zag de lijken vaak als eerste. Dode lichamen in typische houdingen. Benen in een knik naar buiten. Hoofd voorover tegen de borstkas. Armen onder een zware torso.

De fotoboeken van Weegee staan bij mij thuis altijd binnen handbereik. Wat is de dood toch ontstellend eerlijk en mooi om te zien. Zonder opsmuk toont het lijk ons de laatste seconde van het bestaan.

Voor Weegee een foto nam, duwde hij soms een afgevallen hoed met de punt van zijn schoen tot vlak bij het lijk: '*People like to see a dead man's hat*.' Mooi gezegd, Weegee. Kon ik vanaf mijn bank de bidon van Kopp maar naast zijn bebloede hoofd schuiven.

Het kapelletje van Madonna del Ghisallo in Noord-Italië is een bedevaartsoord voor wielerfanaten. Aan de muur hangen relikwieën van overleden coureurs. Ik stond er oog in oog met de fiets van Fabio Casartelli, waarmee hij verongelukte in de Tour de France van 1995, tijdens de afdaling van de Col de Portet d'Aspet. Een dood ding van een dode renner. Pas bij nadere bestudering zag ik krassen en deukjes in het frame. De voorvork stond uit het lood. Ik schrok, me bewust dat op deze gehavende fiets een 24-jarige Italiaanse jongen het leven liet.

Er zijn foto's van Casartelli, na zijn val. Ogen dicht. Wezenloze foetushouding. Zonder helm. Riviertjes van bloed over de weg. Je wilt niet kijken en kijkt toch.

We hoeven geen medelijden te hebben met een renner die valt. Hij wist vooraf waar hij aan begon. Wie in het profpeloton rijdt, weet dat hij kiest voor een flitsend leven, maar ook voor een mogelijke afdaling naar de dood.

Later hoorde ik dat Kopp de valpartij had overleefd. Hij had schedelletsel en een gebroken neus. Bofkont.

De centimeters van Merckx

Tandwielen, schroeven, spaken, zelfs de schakels van de ketting worden stuk voor stuk aan een laatste inspectie onderworpen. Steeds glijden de smeervingers van de mecanicien weer over de fiets. Het is aaien, masseren, drukken, kietelen. De fiets is een vrouw die aandacht behoeft. Het is 1976, de vooravond van de klassieker Parijs–Roubaix. De Molteniploeg zit in een hotel vlak bij Chantilly. De mecanicien is in een onbestemde ruimte in de weer met de fiets van zijn kopman. Alles is afgesteld op het denderen over de kasseien. Zijn werk is klaar. Denkt hij.

Eddy Merckx valt binnen. In koeterwaals-Italiaans spreekt hij over getallen, over de ideale zit. Over centimeters, nee, over millimeters. De mecanicien pakt een meetlint en rekent uit hoe hoog het zadel boven het bruinoranje frame uitsteekt. Alle millimeters staan in verhouding tot het lijf van Eddy. Wat wil zijn rug? Hoe ver kunnen de pezen en spieren uitrekken bij een omwenteling? Gaat zijn nek pijn doen na tien stroken kinderkoppen? Eddy moet straks de hel van het noorden in. Iedereen verwacht dat hij wint. Zoals altijd. Daarom moet het zadel perfect staan. De mecanicien pakt een uitschuifbare meetlat waarmee hij de hoogte en de stand van het zadel controleert.

Merckx gaat op een bankje achter zijn fiets zitten. Hij tuurt naar het zadel. Donkere timmermansogen.

De mecanicien houdt het uiteinde van de meetlat tegen de stuurpen aan. Aan de andere kant duwt hij de schuif strak tegen de achterkant van het zadel. Hij rommelt onder het zadel. Hij gaat daarna zelf even op de fiets van Merckx zitten. Dit moet goed zijn.

Merckx geeft zich over. De fiets is klaar voor vertrek.

Vlak voordat de ploeg via een slingerroute naar de start fietst, knijpt Eddy in de remmen. De mecanicien komt naast hem staan. Het stuur. Hoe hoog staat het stuur?

Eddy zelf legt het meetlint langs de stuurpen: 'Hoger.'

De mecanicien draait met een inbussleutel de schroef los. Hij trekt het stuur omhoog. Eddy's ogen houden de streepjes op het meetlint in het vizier.

'*Encore plus?*' vraagt de mecanicien.

Het stuur glijdt tergend langzaam omhoog, millimeter voor millimeter.

'Ho-ho-ho. Stop!' zegt Merckx. De hoogte is goed zo.

Toch staat in de ogen van Merckx nog twijfel. Staat het stuur precies haaks op het frame? Zijn vingers zitten in witte, wollen handschoenen. Het is nog koud in de ochtend. Met de duim en wijsvinger van beide handen zet hij het losse stuur goed.

De mecanicien wacht met aandraaien totdat zijn coureur een teken geeft. Het is stil. De handen van Merckx houden het stuur secondenlang beet.

Merckx kijkt naar de stand van het stuur. Nu kan het nog bijgesteld worden. Straks zit hij in de koers en vliegt alles aan hem voorbij: steentjes, stof, een putdeksel, een doodgereden kat, het achterwiel van een zware motor.

Ja. Het stuur staat recht. De mecanicien mag het vastdraaien.

Het startschot op het plein in Chantilly. Het peloton staat klaar. Wielerfans staan te dringen. Hun helden zijn aanraakbaar. Ze speuren. Daar is Eddy. Met dat bruin in het shirt, bruin dat niet in één chocolaterie te vinden is. Kenners turen naar zijn fiets. Ze tellen de tandjes in het achterwiel.

Klak, een foto.

Tik, op de schouder.

Het peloton rijdt weg. Motoren met cameramannen achterop zoemen om de renners heen. Van het gezicht van Merckx is af te lezen dat hij er niet gerust op is. Is zijn stuur wel goed afgesteld? Voelt hij iets aan zijn pedaalslag, aan de stand van zijn benen, aan zijn rug?

Plotseling knijpt iedereen in de remmen. Er is een staking gaande, Franse actievoerders versperren de weg. Geluk bij een ongeluk. Merckx draait om. Hij houdt een volgwagen van de Brooklynploeg aan, het team van zijn rivaal Roger De Vlaeminck.

Vanuit de blauwe Fiat komt een hand met een sleutel. Merckx kijkt onrustig over de ruggen van het peloton heen. De renners staan nog stil.

Merckx stapt af en begint te sleutelen. Met zijn linkerhand omklemt hij de punt van het zadel. Of er een droge worst in zijn handpalm ligt. Hij slaat tegen de achterkant zodat het zadel een millimeter naar voren schuift. Hij draait de bout onder het ver-schoten leer aan. De mecanicien van Brooklyn krijgt zijn sleutel terug.

Merckx rijdt weg. De kasseien schudden de fietsen door el-kaar. Eddy voelt elk venijnig randje van de stenen in zijn zitvlak. Het zadel is de sensor van de renner. Het is eenvoudig: zit je lekker in de koers of niet.

Eddy zit vandaag niet lekker.

In de middag gaat Marc Demeyer als eerste over de streep in Roubaix. Merckx wordt zesde. Als hij over de finish rijdt, kijkt hij achterom. Een goede Merckx kijkt alleen maar vooruit.

Dat stomme Brooklynsleuteltje. Die ene millimeter naar voren was niet genoeg. Het zadel stond niet perfect.

Niet perfect genoeg.

Piemeltje

Terwijl de Giro d'Italia verreden wordt, vindt de echte strijd plaats in een rechtszaal in het Amerikaanse Malibu. Daar is de hoorzitting over het vermeende dopinggebruik van de Amerikaan Floyd Landis tijdens de Tour de France van 2006. Wielrennen *in court*.

Het startpistool is vervangen door een houten hamer. De hoofdrolspelers bestuderen niet het parcours in het koersboek maar arceren in maatpak bedenkelijke zinnen in vuistdikke dossiers.

Elkaar flikken is een van de pijlers waar de wielersport op rust. De simpelste truc: je doet of je moe bent en duwt toch je wiel als eerste over de meet. De moeilijkste truc: stiekem doping gebruiken. Wielrenners spelen soms klunzig, maar af en toe acteren ze vorstelijk. Daarom zijn er elk jaar koningsdrama's in de wielersport.

In Malibu is het een komen en gaan van getuigen in de dopingzaak. Donderdag verscheen oud-renner en drievoudig Tourwinnaar Greg LeMond ten tonele. LeMond kwam met een bizarre verklaring die feitelijk niets te maken had met het gebruik van stimulerende middelen.

LeMond vertelde hoe Landis hem, na uitsluiting wegens vermeend testosterongebruik in de laatste Tour, had gebeld en om raad vroeg. LeMond adviseerde hem eerlijk te zijn en zei: 'Ik ben er bijna aan kapot gegaan door niemand te vertellen dat ik vroeger seksueel misbruikt ben.'

Het telefoontje duurde 36 minuten.

LeMond: 'Hallo, met Greg.'

Landis: 'Ja, Met Floyd hier. Wat moet ik nu? Toegeven?'

LeMond: 'Testosteron. Ja jongen, dan sta je zwak.'

Landis: 'Ik kan het op procedurefouten gooien.'

LeMond: 'Of gewoon hartstikke eerlijk zijn.'

Landis: 'Hoe bedoel je?'

Lemond: 'Net zoals ik. Ik zeg jou dat volwassenen vroeger aan mijn piemeltje hebben gezeten. Eerlijk waar.'

(Landis controleert in zijn display of hij werkelijk met LeMond belt.)

Landis: 'Greg, luister, ik ben net uit de Tour gezet.'

LeMond: 'En bij mij' (slikt een paar keer) 'hebben ze aan mijn piemeltje gezeten.'

En om zijn de 36 minuten.

Greg LeMond wordt opgeroepen als getuige tegen Landis en komt plotseling op de proppen met de synopsis voor een voorlichtingsfilm over seksueel misbruik. Landis' manager wilde LeMond met die feiten in de arbitragezaak corrumperen en is inmiddels ontslagen. Het is bijna niet te bevatten. LeMond is een rare. Hij kon in 1985 de Tour winnen, maar liet zich inpakken door ploegmaat Bernard Hinault die hem als een schoothondje aan het lijntje hield. Twee jaar later was LeMond betrokken bij een jachtongeluk. Z'n lijf zit nog steeds vol kogeltjes.

Landis is opgegroeid in een geloofsgemeenschap van mennonieten. Er komen daar gezinnen voor met 24 kinderen, lees ik in een encyclopedie. Mennonietenmannen zijn kennelijk ook vooral met hun eigen kruis in de weer. Floyd mocht van zijn ouders niet fietsen. Op zijn vijftiende nam hij de pleitvaart. Een jeugd om gek van te worden.

Op naar de hoorzitting van Floyd, Greg en de rest. Ze leven in een wereld vol betaste piemeltjes die bij volgroeiing bedenkelijke plasjes druppelen in de buisjes van piskijkers die fout op fout stapelen. De waarheid en de leugen dansen om de rechters heen. Iedereen wordt er duizelig van. De zaak-Holleeder is er niets bij. *It's Malibu-time!*

Stom, stom, stom

Het was versgeperst sinaasappelsap dat ik in één keer naar binnen goot op een terras in Antwerpen-Zuid. Het smaakte goed en het leek me gezond, zeker na een lange nacht met promillage. Ik proefde de natuur op mijn tong.

Sinaasappelsap heeft eigenlijk maar één nadeel. Als je het drinkt vlak voor het hardlopen of fietsen, heeft het de neiging weer terug te keren naar het gat waar het is ingegoten. Het is zuur en dat wil mijn hardwerkende maag tijdens het sporten niet verwerken.

Kortom, sinaasappelsap boert op.

In een interview met wielrenner Marc Lotz kwam ik het woord 'sinaasappelsap' weer tegen. Lotz heeft er net een schorsing op zitten nadat hij toegaf epo gebruikt te hebben om beter te kunnen herstellen.

Lotz: 'Een dokter heeft ooit gezegd dat epo net zo gezond is als sinaasappelsap.'

Epo net zo gezond als sinaasappelsap. Ik las het zinnetje nog eens. Ja hoor, de woorden 'epo' en 'sinaasappelsap' gingen echt hand in hand in één zin uit de mond van een wielrenner.

'Er zijn toch geen doden gevallen door epo?' stelde Lotz ook nog. Hij had volkomen gelijk. De profwielrenners die bekenden het spul gebruikt te hebben, zaten er allemaal fris bij. Er rolden een paar traantjes hier en daar, maar die zochten hun weg over een oergezonde kop.

Gek eigenlijk dat renners met berouw over dopinggebruik zulk larmoyant gedrag vertoonden. Ze schamen zich ten opzichte van hun zoontje, ze gaan al gebukt staan om geslagen te worden. Nergens een verhaal over hoe lekker het gebruik van epo wel niet is als het, mits goed gedoseerd, in je lichaam ronddraait. Maar nee, alleen bekentenissen met een zuinig gezicht. Spijt, spijt, spijt. Stom, stom, stom.

Precies veertig jaar geleden maakten The Beatles een van de belangrijkste platen uit de pophistorie: *Sgt. Pepper's Lonely Hearts Club Band*. Elke noot van dat album verzoop in een mix van marihuana en lsd. The Beatles tripten erop los. *Sans gêne*. En iedereen mocht horen hoe fijn dat was.

In hartje Antwerpen zag ik een affiche van The Stones hangen, als aankondiging voor hun nieuwe tour. Vergeleken met The Beatles zijn The Stones de versleten flandriens van de rock-'n-roll. De vier oude mannen keken me aan, met vermoeide ogen van jarenlang toeren over de wereld. Dokter Fuentes, alstublieft, kom vanuit uw hol in Spanje over de brug met een paar zakken opgewaardeerd wielerbloed, anders halen The Stones de pauze van hun act niet.

In Italië kwam het peloton van de Giro in het centrum van Milaan over de streep. De verslaggevers van de RAI was te verstaan gegeven niet meer over epo te praten tijdens de koers. Was ook helemaal niet nodig. Het was een prachtige ronde. Er waren bergetappes met steile stukken die eindeloos voortduurden. En toch haalde het gros van het peloton de top van de hellingen.

Danilo di Luca — eigenlijk de man voor eendaagse wedstrijden — kon de drie weken durende Giro prima aan. Hij werd de terechte winnaar; Di Luca was de sterkste, de slimste en heeft bovendien een mooie zit.

Ooit, als na een lange carrière zijn fiets in de schuur staat, zal Di Luca ons uit de doeken doen hoeveel van dat overheerlijke sinaasappelsap hij onderweg tot zich nam. Met hier en daar een boertje tot gevolg. Want hoe je het ook wendt of keert: het blijft natuurlijk sinaasappelsap.

Plastic zakje

Er dwarrelde een leeg broodzakje door de lucht boven het Limburgse land. Het kwam precies tussen het achterwiel en de remblokjes van Maarten den Bakker. Pech.

Den Bakker hield de benen stil terwijl hij eigenlijk hard moest doortrappen om nog Nederlands kampioen te worden. Michael Boogerd ging naast hem rijden en probeerde met zijn rechterhand het plastic los te krijgen. Het lukte gedeeltelijk, waarna Den Bakker zelf het laatste stukje lostrok.

Wie had het plastic zakje losgelaten?

Het Nederlands kampioenschap 2007 werd verreden in de omgeving van Margraten, waar zoveel Amerikaanse oorlogsstrijders begraven liggen. Misschien was een oude weduwe aan haar voorgesneden appel begonnen en had een windvlaag het lege plastic zakje uit haar handen geblazen. Intussen keek ze naar het graf van haar omgekomen man, een parachutist wiens parachute niet openklapte.

Het kan. Alles kan tijdens een koers, ook al is die perfect georganiseerd. In de Limburgse heuvels liep er opeens een hond op de weg. De renners scheerden er links en rechts voorbij. Het zijn filmscènes die zonder repetitie, zonder make-up, zonder opnameleider, in één take worden opgenomen.

Spelen kunnen ze als de besten, de acteurs op de fiets. Een

goede acteur speelt met een geheim waar je als kijker naar moet gissen. Renners trekken vermoeide gezichten terwijl ze die dag juist ijzersterk zijn. Ze vallen met een schreeuw van hun fiets, maar rijden een minuut later weer vrolijk een rondje rond de kerk.

Wie gebruikt, wie gebruikt niet? Wie huilt oprecht tranen als spijtoptant, wie leidt ons om de tuin als leugenachtig verhalenverteller? Wielrennen is theater op twee wielen.

Nog een kleine week en de Tour de France gaat van start. De mannen van de wielerformatie csc willen het kersverse dopingmanifest, waarmee ze verklaren 'schoon' te zijn, niet ondertekenen. Karsten Kroon, al tientallen keren gecontroleerd op dopinggebruik en steeds 'schoon' verklaard, is toch elke keer bang tegen de lamp te lopen. 'Misschien heb ik per ongeluk een kippetje met steroïde gegeten.'

Kroons ploegleider annex casting director Bjarne Riis bekende in het jaar van zijn Tourwinst epo te hebben gebruikt. Het maakt hem niet uit of zijn renners weigeren het manifest te ondertekenen. En als zijn ploeg dan niet mag starten in de Tour, nou, dan maar niet.

Ze zullen weer opstaan, de grote acteurs in het peloton, met hun vileine blikken achter een zonnebril, met hun cynische lachje naar de pers.

Het is een zichzelf bevlekkende wereld. List, liefde en bedrog. Een van de mooiste sporten van de wereld.

Tourtour

Op naar Tourtour. Frans bergdorp met een dubbele tong, wit uitgeslagen door zelfgemaakte alcoholische dranken.

Ik was er al eerder, in het voorjaar, toen met de auto. Het was met veertien graden redelijk koud op het centrale plein. Er stonden een paar terrassen uit, maar je moest een Hollander zijn wilde je op zo'n stalen stoeltje plaatsnemen.

Terwijl ik ging zitten, zag ik een paar oude mannen lopen. Bergmannen. Hun koppen zagen eruit als afgesleten rotsen. Ik nam me voor dit plein nog eens aan te doen, maar dan met de fiets.

Vandaag, op een hete dag in augustus, ga ik terug naar Tourtour. Het is 38 graden in de Haut Var. Mijn fiets staat al klaar naast het vakantiehuisje. Onvoorstelbaar, wat 38 graden met een mens op een fiets doet. Al na een kilometer wil ik een wasteil leegdrinken. Desnoods met lauw zeepsop.

Ik rijd eerst vier kilometer naar Villecroze, een nietszeggend dorpje dat aan de voet van de heuvel ligt. Loom ga ik over het stijgende asfalt.

Onderweg passeer ik een restaurant zonder gasten. Het is etenstijd. Niets lijkt me erger dan eigenaar te zijn van een niet-lopend restaurant. Iedere dag de tafels dekken, de vloer aanvegen. Om twee uur later te constateren dat er weer geen klant gekomen is.

Nog drie kilometer naar Tourtour. Ik herken de bochten van de autorit in het voorjaar. Toen was alles kaal, nu ruik ik de zoetige geur van bloemen in de berm. Welke het zijn, weet ik niet. Als stadsjongen ken ik alleen de madeliefjes en paardenbloemen in het park.

Door het luchtgat aan de voorkant schiet een insect onder mijn helm. Het zoemt hard en vliegt met een tik tegen de zijkant. Met één hand schud ik de helm hard heen en weer op mijn hoofd, in de hoop dat het beest wegvliegt. Dom. Ik voel een steek op mijn achterhoofd.

Razendsnel maak ik het clipje onder mijn kin los en trek de helm van mijn hoofd. Er valt een wesp op het asfalt. Eigen schuld. Een angel in mensenvlees en je ligt dood op je rug.

Wrijvend over mijn achterhoofd voel ik een zwelling opkomen. Ik pak mijn bidon, spuit lauw water over mijn schedel.

Eenmaal op het plein in Tourtour zet ik mijn fiets tegen een plantenbak. Ik zoek een plaats op hetzelfde terras als vorig jaar. Het is veel drukker nu. Met mijn zweterige handschoentjes veeg ik mijn gezicht schoon. Op het volgende terras wordt een piano op een verhoging geplaatst. In de namiddag is er een optreden, lees ik op een aankondiging. Brahms, Mendelssohn en rode wijn.

Ik hoor Nederlands praten en kijk om. Een tafel verder zit een jong stel. De jongen is een tikkeltje verbrand. Hij zucht. Het meisje zit gebogen boven een baby in een maxicosi. De baby, aan zijn vierkante hoofdje te zien een jongetje, vecht tegen de slaap. Hij maakt huilgeluidjes en wrijft in zijn gezicht. Het meisje wappert met de menukaart boven zijn hoofdje.

Ik bestel een cappuccino bij de Franse serveerster.

Het Nederlandse meisje maakt een triomfantelijk gebaar

naar haar vriend. Eindelijk. Het kind slaapt. Voor de zekerheid schommelt de jongen de maxicosi nog op en neer. Het zal toch niet? Nee. Het slaapt.

Mijn cappuccino is gemaakt van warm slootwater met slagroom erop. Ik had het kunnen weten. Fransen.

Het meisje pakt haar mobiele telefoon en houdt die vlak boven het gezicht van het kind. Ze drukt af en glimlacht daarna tevreden om het resultaat. De jongen kijkt plichtmatig mee. Het lijkt of het stel de hele week op deze weldadige rust gewacht heeft. De foto wordt per sms verstuurd.

Ze voelen zich betrapt door mijn blik. Ik voel me ook betrapt, maar blijf toch hun richting opkijken omdat mijn fiets achter hun tafel staat. Ik zie alleen een stukje van de kromming van het stuur, achter het gezicht van de jongen.

Na een tijdje wegkijken draai ik me weer hun kant op. De jongen zit nu alleen, met zijn verbrande hoofd. Hij heeft een buikje en heel zware sandalen onder zijn spijkerbroek. Hij is niet gemaakt voor zomerdagen.

Het meisje komt aangelopen. Ze draagt een witte fladderjurk met het prijskaartje nog in haar nek.

'Wat vind je?' vraagt ze, terwijl ze een rondje draait waardoor het uiteinde van de jurk in het gezicht van het kind wappert.

'Heb je 'm al gekocht?' vraagt de jongen.

Het meisje staat stil. Ze gaat met haar handen langs haar heupen die nog vocht vasthouden van de zwangerschap.

'Ik heb mijn rijbewijs als borg achtergelaten. Een boetiekje hier om de hoek. Negentig euro.'

'Eh, ja. Lekker zomers wel,' zegt de jongen aarzelend.

'Zal ik het doen... Ach, ik doe het gewoon!'

Het meisje loopt weg. Ik zie wat de jongen ziet. De jurk is gemaakt van veel te dunne stof. Haar forse figuur en haar grote onderbroek schemeren erdoorheen. De jongen kijkt me onzeker aan en draait weer snel van me af.

Ik betaal de vieze koffie, geef om onverklaarbare reden nog vijftig cent fooi ook, en loop naar mijn fiets. Ik weet dat de jongen naar me gluurt. Hij wil vast met me ruilen: hij trappen op een fiets, ik schommelen met een maxicosi.

Ik maak nog een extra rondje over het plein. Om te pesten. Dan rijd ik onder de oude dorpspoort door. Als ik via een druk winkelstraatje op de doorgaande weg uitkom, stop ik om mijn helm op te zetten. De harde kunststof rand drukt op de wespenbult. Ik verzet de gesp onder mijn kin zodat de helm losser komt te zitten.

Het asfalt is net opnieuw gelegd. Ik ruik het. Mijn voorwiel blijft aan de weg plakken, als een wikkel aan een toffee.

Trappen nu, trappen.

Weg uit Tourtour.

Zeewier

Aan het einde van de zware etappe door de Alpen dronk winnaar Michael Rasmussen in één teug een flesje water leeg. Je hoorde het klokken in zijn slokdarm. Alsof in zijn binnenste de vitale delen op uitdrogen stonden. De mens bestaat voor een aanzienlijk deel uit water. Dat vocht verdwijnt als sneeuw voor de zon wanneer je urenlang in een manisch tempo de bergen opfietst. Dan kunnen de ploegleider, de knecht en de motorrijder je nog zo veel bidons met water aanreiken, je lichaam verliest nu eenmaal sneller vocht dan je kunt drinken.

Hij zegt niet veel, de Deense renner van de Raboploeg.

'It's like a dream,' was zijn antwoord op de vraag hoe hij zich voelde na het veroveren van zijn eerste gele trui. Hij keek schichtig om zich heen. Het was dat zijn onderlip eventjes trilde, anders was ik nog gaan twijfelen aan zijn plezier.

De tv-commentator riep dat Rasmussen een ideale winnaar was voor de gedeukte Tour de France: 'Hij is van onbesproken gedrag.'

Rasmussen houdt er een eigenzinnige leefstijl op na. Hij leeft op zeewier. Als ik het vuur ontsteek onder de pan voor een kort te bakken biefstuk, denkt hij verlekkerd aan zeewier. Fietsen op een bedje van zeewier, je moet ervan houden.

Ik zie zeewier graag van boven, in zeewater aan de kust, vastgeplakt tegen de rotsen. Het deint zo fijn mee met de golven, als lang haar van een betoverende nimf. Rasmussen wil geen haar op zijn hoofd. Hij scheert zich kaal. Haar weegt iets. Niet veel, maar het telt. Alles wat weegt, verafschuwt Rasmussen. Rasmussen kan geweldig klimmen, hij zegt niets, bestaat louter uit water en zeewier en weegt niets. Hij is *low fat* par excellence. Dit is de ideale renner.

Velen zullen de komende dagen de leefstijl van Rasmussen gaan volgen. 's Ochtends zeewier op toast, tijdens de etappes een paar zeewierrepen met veel bidons water en 's avonds sla, weer water, en vooruit, even gek doen — een zeewierlikeurtje toe.

Lichter en lichter zullen de renners worden. In de laatste bergetappes kijken we al bijna door het peloton heen, de renners bestaan slechts nog uit shirt en broek. Op de top van de Galibier worden ze als papieren vliegers door de wind mee omhoog genomen en verdwijnen uit zicht in de ijle lucht.

Op de flanken van de berg hebben ploegleiders en Tourdirectie de wagens aan de kant gezet. Met de vingers voor hun ogen proberen ze het zonlicht te filteren om nog een glimp op te vangen van hun vervlogen renners. Maar nee, ze zijn weg. En het gekke is, pas nu worden ze gemist, de renners die voor ons — laffe voyeurs — hun lichamen teisteren.

De winst van Michael Rasmussen doet beseffen dat het de wil van anderen is dat hij op zeewier en water de berg opmoet. Ooit zal hij met plezier zijn tanden zetten in vet gebakken voer met een liter bier ernaast.

Ach, Michael, weet je, zweef nog maar even in het luchtledige, in het hooggebergte tussen de engelen.

Het is als een droom, beweerde je. Prima. Houden zo. Ik zeg je: geen paniek. Hier beneden, in die valse, vleesetende wereld, is het ook alleraardigst toeven.

Tot later, kerel.

Guillotine

Die Fransen moeten het niet gekker maken. Het dagblad *France Soir* drukte over de hele voorpagina een rouwadvertentie af waarin de Tour de France 2007 dood werd verklaard. Bij de 'familieleden' van de overledene stonden de namen van Jacques Anquetil en Bernard Thévenet, in het verleden twee fervente slikkers.

Wat een hypocrisie.

Terwijl Franse jongeren zich onbekommerd suf blowen in coffeeshops in 'vrij' Amsterdam, wordt in hun thuisland wielrenner Cristian Moreni wegens testosterongebruik als een misdadiger uit de Tour verwijderd. Met welke maten meten we in ons fijne Europa?

Een deel van de Franse bevolking is boos. Sommige supporters staan met grote zelfgemaakte spuiten langs de kant van de weg; in de sfeer van carnaval, maar met de scherpte van een guillotine. Ze fluiten de renners uit van wie ze onmogelijke prestaties verwachten.

'Ze zijn de Tour, ze moeten hem terugkrijgen,' zei Tourbaas Prudhomme over de mensen langs de kant. Onzin. De Tour is nog nooit zo leuk geweest. En het bedrog en de doping, ach, dat hoorde er altijd al bij.

Ongelooflijk, hoe kort wielerliefhebbers van memorie zijn als het om dopinggevallen gaat. Zijn ze vergeten hoe in voorbije jaren renners als Zoetemelk, Pollentier, Pantani en Virenque als grote fietssterren betrapt werden? Zoetemelk kreeg in zijn tijd een tijdstraf en mocht de Tour gewoon uitfietsen. Vinokoerov mag na het 'verversen' van zijn bloed zijn vak twee jaar niet meer uitoefenen. Is het gek dat de Kazach een rechtszaak begint?

En wat te denken van Rasmussen? De Deen is niet op doping betrapt, hij loog over zijn verblijfplaats. Hij trainde niet in Mexico maar in Italië. En o ja, hij loog ook tegen zijn baas Theo de Rooij. Tja, wie liegt er niet, zo af en toe, tegen de baas.

Mooi dat Boogerd, juist hij die zo hard voor de geletruidrager werkte, opbiechtte dat hij het rot vond voor Rasmussen: 'Zijn leven is kapot en hij komt nooit meer aan de bak als renner.'

Van doping wordt sport niet eerlijker. Nee. Maar eerlijke sport is een illusie. Zoals er ook geen eerlijke politiek bestaat, of een eerlijk bedrijfsleven, een eerlijke kerk. En schoon hoeft de Tour toch niet te zijn? Een schoon laken voelt lekker aan maar is ook een beetje saai. Ik wil een laken met een verhaal, een Tour met historie. Laat struisvogels maar de kop in het zand steken.

Mensen waren geschokt door het nieuws dat Vinokoerov tijdens de Tour aan bloedtransfusie zou hebben gedaan. Ze wilden zich afwenden van de Tour. Waarom? Geen cineast kan zo'n mooi scenario verzinnen.

De Tour is ook gemaakt om geschiedenis te schrijven. Ik wil alleen maar méér weten over Vinokoerov. Van wie was het bloed? Waar deed hij het? Onder de lakens, in de douche? Kwam er onverwacht een kamermeisje binnen? Heeft Vino gemorst? Kneep zijn overgekomen vader het laatste beetje uit de plastic zak of deed hij alles alleen?

De Tour is een afspiegeling van het leven. Een vergaarbak van lieve huisvaders, boosaardige klootzakken, naïeve sporters en geslepen zakenmannen. Daar is niets op tegen. Het leven, de Tour. Het is een spel. Een spel dat je moet durven spelen.

Doping gebruiken is de uiterste vorm van gokken in de Tour. Gokken vraagt om ondubbelzinnige spelregels en een duidelijke leiding. Alleen dan kun je een casino als de Tour de France runnen.

Punk op tubes

Bij de beklimming van de laatste berg sloop ik weg uit de huiskamer. Ik zette de kleine televisie aan en ging op bed zitten. Dit was een Touretappe met *hors catégorie* aan het slot. Daar moet je in je eentje van genieten.

Tijdens de klim naar Plateau de Beille kreeg ik een sms'je van een vriend. Hij zat vanaf zijn vakantieoord in Italië te kijken. 'Wat een fantastische etappe, hoogtepunt in Tourhistorie!' Ik gaf hem volledig gelijk.

Voor het eerst sinds jaren werd het dierlijke wielrennen bedreven. Ik zag *De hel* van Dante en de theorie van Darwin met elkaar gecombineerd. Het recht van de sterkste gold. Je zag échte winnaars, échte verliezers door het beeld glijden. Aanvankelijk kon ik er geen grip op krijgen, maar juist dat bracht me in vervoering: de chaos regeerde.

De Tour de France als woest beest, steeds veranderend van kleur en gedaante. Het was of Karel Appel in zijn beste dagen aan het werk was, zoals in de film die Jan Vrijman in 1962 over de schilder maakte. Appel gooide felle strepen verf in hoog tempo met het mes op het doek. Pats! Rood. Een aanloopje en... Blauw! Een paar passen naar achteren. Twee ferme stappen naar voren. Daar ging alweer een kwak verf naar het doek.

Op de steilste stukken van de berg werd het beeld iedere minuut door een andere hoofdrolspeler bepaald. De Rode Bolletjes schoten weg terwijl De Blauwe Kazach met de Dertig Hechtingen verkrampte. Oranje Boogerd nam de kop, De Gele Kip reed weg. Laffe Leip volgde. De Kip terug. Contador ervandoor. Het hield maar niet op.

Er was geen irritante leider à la Armstrong die met zijn ploeg de regie tot aan de finish in handen had. De laatste tien kilometer gingen alle regels en wetten overboord. Niemand hield zich in, er heerste totale vrijheid. Het was punk op tubes.

Renners, volgers, kijkers. We zaten met zijn allen in een *Gesamtkunstwerk*. Sterker nog, we werkten er allemaal aan mee.

Het decor was perfect. De venijnige toppen van de Pyreneeën, de wind, de smalle weg omhoog. En in de verte lag Spanje, waar het geronnen bloed van op de hoorns genomen dronkenlappen nog maar net van de straten van Pamplona was gespoten.

Op een steil stuk holde een man in een string een paar meter mee met de renners. Ik hou niet van een string — en al helemaal niet bij mannen — maar zondag leek het schudden van de witte hammetjes in perfecte cadans met het trappen van de benen van de klimmers.

Zelfs het valse handjeklap van Rasmussen in de laatste kilometers — jij, Alberto Contador, de etappe, ik de gele trui — hoorde er helemaal bij. Wie kun je vertrouwen als je de laatste 16 kilometer steil omhoog moet fietsen? Niemand dus.

Soms vallen dingen op één dag samen en besef je: hier gaat het om in de Tour, in het leven, voor mijn part. Zo'n dag was zondag 22 juli 2007. In de etappe naar Plateau de Beille kreeg de Tour de France zijn volwaardige smoel weer terug.

Als dit geen echte sport is, dan weet ik het ook niet meer.

Een rondje met Jan Janssen

Aan de telefoon klonk er iets van twijfel in zijn stem na mijn voorstel om samen een rondje te rijden. 'Je gaat me toch niet naar de kloten fietsen, hè?' zei de oud-Tourwinnaar.

Ik zou niet durven. Een kerel van achtenzestig jaar met een gouden palmares fiets je niet naar de kloten.

Die hou je uit de wind.

Die schenk je een frisse bidon met dorstlesser.

Die geef je je laatste powerbar.

Aan de andere kant: het is wel dé Jan Janssen die je dan hebt zoek gereden. Toch een fijn verhaal voor in de kroeg. Wat nou als ik die Jan Janssen wél naar de klote zou rijden? Op eigen terrein. Finaal. Hard. Zonder erbarmen, zodat hij moest smeken of het alsjeblieft, alsjeblieft zachter kon.

Ik had een kans. Een flink leeftijdsverschil, en, niet onbelangrijk, Jan had een tijd niet kunnen trainen vanwege een aanhoudende griep.

Tijdens ons telefoontje hoorde ik een angstaanjagend geblaf aan de andere kant van de lijn. Als een oude hond met poliepen hoestte Jan Janssen de ontsteking in zijn borst los. 'Man, ik ben al weken verkouden. Ik heb een maand niet gefietst. Maar kan je vrijdagmiddag, kom dan maar, dan kijken we wel.'

Met een gedemonteerde fiets achter in de auto reed ik op de heetste dag van mei naar het zuiden. De tomtom herkende het adres niet. Janssen woonde in het Belgische deel van het grensplaatsje Putte en dat noemen ze daar Kapellen. Je moet het maar weten.

Een belletje naar Jan. 'Waar zit je? O. Ben je de Grensstraat in gereden? Dan is het de derde weg links.'

Even later zwaaide een man in wieleroutfit vanaf de oprit.

Jan Janssen, in tegenlicht.

Grijs haar achterover gekamd, een moderne variant van zijn wereldberoemde Ray-Ban uit de Tour van 1968 op de neus, een strak bovenlijf en geschoren benen. Le Professeur, noemen ze de renner met bril in Frankrijk.

Ik tilde mijn frame uit de achterbak en daarna de wielen. Jan pakte het voorwiel aan en zette het in de voorvork. Daarna klemde hij het achterwiel tussen zijn knieën en slingerde hij de ketting behendig op de tanden. 'Nooit smeer aan mijn handen.'

De achtertuin stond er weelderig bij. Een ruim grasveld omzoomd met planten, bosjes en bomen. Ik zat na anderhalf uur autorijden nog met de opgebroken asfaltjungle in mijn hoofd. In mijn zomerkleding keek ik rond. Ruimte. Lucht. Geur. Rust. Jan Janssen en zijn vrouw hadden een mooie plek om oud te worden.

'Boris!' riep Jan achter me. 'Boris!' hoorde ik nog eens. Jan stond met zijn wielerpakje in het kraakheldere water van zijn zelf aangelegde vijvertje te schreeuwen.

'Hij komt niet. Boris is onze Russische graskarper.'

Ik zag Boris een doelloos rondje draaien.

'Hoe is het met je griep?'

'Ik ben de afgelopen dagen zachtjes gaan trainen en dan merk je dat al die rottigheid lekker loskomt,' zei Jan.

Jan had getraind. Mooi. Hij nam het ritje serieus. Ik ook.

'En anders mieter ik er toch lekker wat anabolen in. Kan mij het schelen. En als ze dan aan de deur komen, schop ik ze ge-woon weg. *Whereabouts?* Nooit van gehoord. Jongen, ik ben niet voor doping, maar de renners van nu zijn gevangenen van hun eigen sport. Dat was in mijn tijd, met jongens als Anquetil nooit gebeurd. Ze worden als criminelen behandeld en mogen nog geen neusdruppel nemen. En je zou ook niet mogen rijden als je ziek bent. Nou, als ik vroeger ziek was, moest ik juist rijden, dan werd ik sneller beter.'

Jan Janssen nam een slok koffie. Mijn moeder moest eens weten dat ik tegenover hem zat. We keken samen naar de televisie toen Jan Janssen in zwart-wit de wielerbaan van Vincennes opreed en in de afsluitende tijdrit de Tour de France van 1968 wist te win-nen. Ik zag de geëmotioneerde Janssen op de schouders gaan. Mijn moeder deed graag Jan Janssen na wanneer ze zijn naam hoorde op radio of tv. Geen idee of de quote uit die tijd letterlijk was. Maar volgens haar riep hij, direct na de finish — en nu hoor ik de huiluithalen van moeder weer: 'Ik heb de Tour de France gewonnen, ik heb de Tour de France gewonnen, ik heb de Tour de France gewonnen!'
Als een eeuwige mantra verzonken in mijn hersens.

'Nou, gaan we nou nog fietsen of hoe zit het?' zei Jan.
Ik at nog een koekje en werd daarna via de serre naar de eer-ste verdieping van het huis geleid. Daar mocht ik mij verkleden, in de logeerkamer. Op de overloop stond de uitpuilende prijzen-kast. Volgens zijn vrouw Cora hoefden de prijzen van Jan niet meer zo nodig een prominente plek in huis.
Jan stond al naast zijn fiets toen ik omgekleed terugkwam. Natuurlijk, hij had een Jan Janssen-frame. Zelf werkt hij niet meer in zijn fietsenfabriek, zijn twee zoons wel. We zouden er onderweg langsrijden.

'Ik was vroeger een trainingsdier. Ik ging na een wedstrijd nog wel eens op de fiets door naar huis. En rap. Misschien is dat wel onze fout geweest. Altijd maar rijden. Ik raakte soms overtraind. Nu hoor je ze zeggen: ik doe eventjes rustig aan. Ze trekken gewoon een lange neus. Een jongen als Thomas Dekker stopt in zijn periode bij de Raboploeg met rijden omdat hij een paar koersjes in Spanje heeft gereden en een stel klassiekers. Ik ben kapot, zegt hij. Tja, als ik dat hoor...'

'Jij bent geen fan van Dekker, begrijp ik.'

'Jawel. Jawel. Hij ziet er goed uit, heeft een babbel. Maar het is nog geen topper. Laat ik het zo zeggen: ik heb hem nog niet vallend over de streep zien komen. En de dames hè, die vinden hem leuk. Nou, mooi. Ik hoef het allemaal niet te weten. Ach, weet je. Hij is nog jong. Hij verdient goed en rijdt in een mooie auto. Wie maakt hem wat? Nog drie jaar en hij is binnen. Hoeft-ie nooit meer te werken.'

'Jij hebt toch ook goed verdiend, Jan?' zeg ik.

'Ja, oké. En toch werk ik graag. De fietsenfabriek bestaat nog. De jongens runnen het bedrijf weliswaar, de een achter in het magazijn, de ander voor op kantoor. Toch kan ik het soms niet laten. Dan zeggen ze tegen me, pa, de bode komt zo een fiets opladen. Effe inpakken, pap? Nou, ik zweer je, niemand kan me verbeteren met inpakken. En als ze me vragen of ik met de *caminet* veertien fietsen kan wegbrengen naar Hilversum of Krommenie, dan doe ik dat graag.'

Vastberaden schakelde Jan Janssen naar een prettig verzet, ging in de hoofdstraat even op de pedalen staan om dan weer op het zadel te zakken. Hij droeg geen helm. We passeerden de grens en waren in Nederland.

Op een smal fietspad ging ik even achter hem rijden. Typische wielerkuiten. Uitgerekt, geprononceerd, slank en aan de enkel zo smal dat de toppen van duim en middelvinger elkaar konden raken als je hem zou vastpakken.

Zijn beentempo was hoog. 'Dat heb ik van Gerrit Schulte. Die riep de hele tijd maar dat je een soepel verzet moest draaien. Hij riep: "Klein, klein, klein!" Ik heb die souplesse van hem. Zorgen dat je je poten niet kapot rijdt... Rechtuit!'

Ik keek op mijn teller. We reden 32 kilometer. Goed te doen. Jan Janssen leek niet moe te worden en praatte door.

'Fietsen is mijn medicijn. Ik moet gewoon regelmatig een rondje maken, twee uurtjes van 30 kilometer gemiddeld. Niet als een dwaas. Ik krijg er allerlei ideeën van. Over de tuin bijvoorbeeld. Dan denk ik, ik ga die vijver eens heel anders aanleggen. Of die kloteboom, met al dat losse blad in het najaar, die gaat om. Weg. Om met dat kloteding.'

'Eerst een kapvergunning aanvragen, Jan,' zei ik.

'Nou, dat vergeet ik gewoon, joh. Ik denk op de fiets trouwens ook aan minder fijne zaken. Dat ik lekker rondrij terwijl mijn oud-collega Henk Nijdam twee benen kwijt is. Hij zit in een rolstoel. Dankbaar zijn, dat schiet dan door mijn hoofd. Je moet toch geluk hebben in je leven. Ik kom echt tot bezinning tijdens het fietsen. Dat heb je niet als je in een hoerenkot zit, dan ben je al je geld kwijt en krijg je een zere rug, ha! Hier rechtsaf.'

We schoten een smalle asfaltstrook op en reden steeds verder weg van de drukke doorgaande weg naar Putte. Iets kinderlijks maakte zich meester van Jan Janssen. Wat moest een groot coureur als hij nog met zo'n lullig rondje op de fiets? Maar om de kilometer was er een spontane uitroep, als van een jongetje dat net een fiets cadeau heeft gekregen.

'O, wat is dit mooi.'

'Magnifiek.'

'Lekker, zeg.'

Het landschap werd geel, door de dalende zon. Opgedroogde

modder, zandstroken, frisse gewassen, bomen in bloei. Ik hoorde in de verte een brommer aankomen die ons pas veel later passeerde. Er was opvallend weinig verkeerslawaai in dit gebied. 'Hier linksaf.'

Het viel me op dat Jan Janssen tegenwoordig een hogere zit had. De rug was niet meer zo diep gebogen. Ik herkende de machtige bovenbenen van vroeger. 'Altijd goeie bovenbenen gehad. Zulke poten. Ik rij nu om te relaxen. Handjes op het stuur. Vroeger reed ik altijd in de beugel. Nu wil ik comfort. Rechtuit hier. Dit doe ik nou zo graag. Twee uurtjes, het liefst met een cluppie. In één keer door. Ik stop nooit. Die jongens met wie ik rij moeten wel een christelijk tempo aanhouden. Als het te lang 40-42-44 kilometer per uur is, roep ik: 'Hé vooraan, denk je een beetje om de ouwe mensen!'

Aan de rechterkant van de weg was het asfalt op sommige plekken afgebrokkeld. De erosie van Brabant. Plots was er een gapend gat ter grootte van een putdeksel in het wegdek. Ik reed net rechts van Jan. Zonder een spier te vertrekken sprong hij met zijn voorwiel over het slechte stuk heen. 'Ik ben altijd handig geweest. Hup, eromheen, eroverheen. Dat is de motoriek die je hebt. Tak-tak-tak, hup! Geleerd tijdens de zesdaagsen, dan moet je — zonder te kunnen remmen — ook je weg zien te vinden. Goed voor je, in de winter koppelkoersen rijden. Daar word je sterk en handig van, ook als je klein van postuur bent. Ik heb zat kleine renners gekend, die waren brutaal, man, die kropen in je zak. Knokken. Op de fiets moet je leren knokken. En vooraan rijden. Als je op de 185ste plek zit, ja, als ze dan voorin opeens doorrijden, is het peloton zo een kilometer lang. Dan mag je drie klassen beter zijn dan een hoop andere renners, maar kom dan nog maar eens vooraan.'

Na een paar keer draaien en keren reden we naast elkaar op

een smalle asfaltweg. Links weiland, rechts weiland. De zakkende zon scheen in ons gezicht. De overleden Gerrie Knetemann woonde hier in de buurt. 'Ik kon goed overweg met De Kneet... Pas op, we gaan hier rechtdoor... Kneet was ook een gevoelsmens, geen kapsones, grappen, grollen. God, wat heb ik daar een verdriet van gehad. Och! Hij zat in ons trainingscluppie. Ik heb verder niet zo veel met collega's. Vriendschap, dat ontstaat niet, dat is er, of het is er niet. We rijden hier nu door België. Ik ben een beetje België-*minded*. Ze zijn een soort onderdanig, of wacht even, het is niet dat ze nou je broek naar beneden doen voor je, maar ze zijn beleefd en netjes. Schitterend land, goeie mensen. Als ik door de streek rijd van de Ronde van Vlaanderen.. eh, Brakel, Nederbrakel, Zwalm, al die paadjes, kasseien waar ik over gereden heb, krijg ik weer de rillingen. Hier, links... en rechtdoor.'

We reden een fabrieksterrein op dat detoneerde met het groene Brabantse land. Vierkante schuren, vale loodsen. Jan Janssen nam de kop en stuurde opeens rechtsaf naar zijn fabriek. Het liep tegen zessen, maar de voordeur stond open. Zoon Jan zat in het kantoor. We liepen naar binnen. Het was er bloedheet, zonder airconditioning.

'Gaat het nog een beetje, kerel,' zei Janssen tegen me. 'Ik dacht, ik test je even uit. Als je me uit het wiel gefietst had, was ik wel gaan roepen dat je framemaat niet deugde of zo.'

Jan Janssen bleef een techniekfreak. Hij gaf op zijn klikkende wielerschoentjes een rondleiding door het bedrijf; langs het kantoor, de opslag, de spuiterij, de inpakplek. Overal frames met zijn naam op de buizen. Samen met zijn zoons verkocht hij zo'n 4500 racefietsen per jaar. Hij pakte een kaal frame en gaf het door met één hand om de lichtheid van het materiaal te accentueren.

Terug bij het kantoor aan de voorkant wees hij op een oude

verweerde fiets die tegen de muur gekwakt was. 'Dat is de speciale fiets waarmee ik de tijdrit in de Tour van 1968 won. Reynoldsbuizen, een 57-centimetertje. Kijk, die bandjes op de platte velg. Een vijfpion. Kromme voorvork. Dit is de originele lak nog. Het lijkt roze, maar het is verschoten rood. Toeclips, wat een ramp was dat. Och! Oud zadel. Ik was er altijd mee aan het prutsen. Als ik een dikkere zeem in mijn broek had, deed ik mijn zadel meteen ietsje lager. Een millimeter of zo. Een zadel moet trouwens hoog staan. Zo'n klein stukje pen uit het frame, geen gezicht.'

Volgens Janssen waren we op de helft van het rondje. We zouden naar de Kalmthoutse heide gaan. Het was warm op de vooravond, eigenlijk nog warmer dan eerder op de dag. Mijn bidon was al half leeg. Ik had Jan nog niet zien drinken. Hij had een witte, doorzichtige bidon waarin ik het vocht tot aan de rand zag klotsen.

We reden de hei op. '2225 hectare zand. Magnifiek hier,' zei Jan.

Ik nam weer een slok. Jan niet.

'Jan, ligt het nou aan mij, ik zie je helemaal niet drinken.'

'Klopt,' antwoordde hij, nog altijd zonder hijgen. Van vermoeidheid was totaal geen sprake. 'Nog geen druppel. Vroeger hadden we maar één bidon. Als die leeg was, moest je afstappen. De greppel in of naar een fontein en water scheppen. Ik was toen al zuinig met vocht en nu nog steeds. Weet je wat mijn geheime wapen was? Kijk uit, er kan hier zand liggen in de bocht, lig je zo op je kanis... Als het heel warm was in de Tour, nam ik altijd een pruimenpit in mijn mond. Dan bleef je mondvocht kweken en had je niet zo'n droge bek. Maar tegenwoordig, ach, komt er zo'n motor langs met een hele bar met bidons achterop, je kunt drinken zoveel je wilt. Ze zullen me wel een ouwe lul vinden, en dat ben ik ook, dat word je vanzelf, maar de nostalgie is een beetje van het wielrennen af. Ze worden tijdens de koers prima verzorgd en hebben allemaal een helm op en een grote zonnebril waardoor ik ze niet herken.'

Ongemerkt ging het tempo omhoog. Nog altijd lagen de handen van Jan Janssen losjes op de remmen aan het stuur. En nog altijd praatte hij door terwijl zijn benen een vast tempo draaiden. 'Wat je hier allemaal ziet. Reeën, fazanten, hazen, konijnen, Vlaamse gaaien, eekhoorns. Zelfs kraaien op de rug van een koe, die pikken de luizen uit de vacht. Kijk, daar op het bankje zit ik vaak met Cora als we een tocht maken.'

In de verte zag ik een stalen uitkijktoren boven de hei uitsteken. Jan vertelde dat Ludo Delcroix, de oud-ploegmaat van Eddy Merckx, daar als boswachter vaak bovenin staat. Hij is in dienst bij de gemeente Kalmthout en houdt van bovenaf in de gaten of de hei niet in de brand staat. 'Als ik langsrij hangt hij de vlag wel eens uit. Of ik bel met mijn o6. Weet je dat Breukink hier ook in de buurt woont?'

Janssen draaide scherp naar rechts een doorgaande asfaltweg op. Het was weer drukker hier. Links en rechts zag ik villa's met vrouwennamen. Met veel geraas suisden auto's voorbij. Janssen ging iets harder rijden.

31, 32...

'Er wonen hier 18.000 Nederlanders in de omgeving...'

33, 34...

'Moet je die rare slinger zien in het fietspad. Als je niet oplet, lig je in de sloot ernaast.'

35, 36...

Het gesprek viel stil. Hoe hard ik ook probeerde om gelijke tred te houden met Jan Janssen, iedere keer duwde hij zijn wiel net tien centimeter voor mijn voorwiel uit.

37...

Janssen nam zijn allereerste slokje uit de bidon.

Mijn voorwiel bleef achter bij het zijne. Ik hoorde mijn gehijg.

Janssen gaf het tempo aan en bleef maar versnellen.

38...

Wie reed hier wie naar de klote?

Mijn adem werd korter en korter. Ik fixeerde me op de weg en mijn kilometerteller: 38 reden we nog steeds, al een kilometer lang. En wat ik ook deed, steeds maar bleef dat wiel van Janssen tien centimeter voor het mijne.

We spraken niet meer. Ik begon te denken. Aan de onvermoede krachten van een achtenzestigjarige man die als een tanige jongeling op de fiets zat. Aan de bomen langs de weg die hun wortels onder het fietspad door lieten lopen waardoor mijn voorwiel steeds leek te bokken tegen het asfalt.

Liep het hier op of leek het maar zo?

39...

We reden 39,5 kilometer, zij aan zij, Jan bleef nog steeds een voetlengte voor en vertrok geen spier. De ploert. Hij reed zo sterk. Er was geen twijfel mogelijk, dit tempo kon hij uren volhouden. Hij moest heel veel getraind hebben. En die griep, ik weet niet hoe serieus die was.

Nog steeds 39,5. Tot op de tiende nauwkeurig.

Wat zei hij eerder in de tuin over doping? 'Je gaat er niet harder van rijden. Zoals vroeger, toen had je amfetaminen. Ik keur het niet goed, maar als je het neemt, doe het dan gedoseerd. Ik zat bij dokter Rolink, hij gaf me ook wel eens een pilletje mee en zei erbij: als je in de kopgroep zit en je kunt winnen: slik het! Ach, ik wist toen niet eens wat het was. Van doping ga je niet beter rijden. Als het wel zo zou zijn, ging ik vandaag nog een kilo halen, opeten en meteen weer in koers. Maar daar zit het niet in. Je moet er echt voor leven. Je maakt van een krijtezel nooit geen renpaard.'

Hij een renpaard, ik een krijtezel.

Ik zag een uitgestorven beest voor me met een droge tong, een doorgezakte rug en lege ogen, diep in de kassen. Een beetje zoals ik nu op de fiets zat. Op het randje van het zadel, worstelend tegen de teller op mijn stuur.

Heel even, echt maar heel even liet ik in woord en gebaar doorschemeren dat ik aan mijn grens begon te zitten.

'Hoe ver is het nog, Jan, want eh....'

Hij hield meteen een beetje in.

'Hier rechts aanhouden.'

Ik hoorde onze banden op de weg, vermengd met mijn gehijg.

'Zo, we zijn weer in Putte.'

In huis rook het naar asperges, die dag gestoken en door Cora bereid, met ei en hesp.

Jan Janssen liep op slippers door het huis, het wielertenue nog altijd om het ranke lijf. Pesterig lachje.

'Ik zat net maar aan de 70 procent van mijn kunnen. Ik dacht: ik zal even laten zien dat ik nog aardig kan fietsen. Ik zal niet zeggen dat ik competitiedrang heb, nee. Maar effe een tikkie uitdelen? Ja.'

Het eten is klaar.

'Zullen we nog even een douche pakken?'

Een paar minuten later liep ik met een handdoek de badkamer binnen. Jan Janssen kwam net onder de douche vandaan.

'*Au suivant!*' riep hij, alsof hij na een overwinning in een Alpenrit in De Tour de waterstralen vrijgaf aan de verliezer.

Hij begon zich af te drogen. Terwijl ik onder de douche stond, had ik een vorstelijk uitzicht op de billenpartij van de Tourwinnaar van 1968. Vetloze hammen, hangend onder een nagenoeg spekloze rug.

Deze oerfietser had me naar de klote gereden. Ik wist het,

hij wist het. Pas onder de douche waren we, in onze naaktheid, weer gewone stervelingen.

We liepen aangekleed naar de achterkamer.

Na het ultrakorte gebed van Jan — 'Ja, en amen' — bleef ik lang hangen aan tafel. Ik schepte zelfs twee keer op. Jan Janssen zei wat hij iedere dag tegen zijn vrouw Cora fluistert: 'We zijn rijk,' en stak de punt van een asperge in zijn mond.

Dagen later hoorde ik een bericht op mijn voicemail: 'U spreekt met de voormalig Tourwinnaar. Ik heb u laatst zo'n pijn gedaan op de fiets. Over een paar weken is er een mooie koers. Doet u weer mee?'

Rat. Schurk. Naar de klote moet hij.

Ik pak hem nog wel een keer.

Datumloze dagen

Ik neem u mee naar mijn slaapkamer. Zondagochtend, half twaalf. Ik had een paar plannen voor de dag; langzaam lezen in de laatste roman van Jeroen Brouwers en twee uur fietsen langs de Rotte.

Door een kier van het gordijn zag ik dat de weerman er niet ver naast had gezeten: storm, regen en af en toe hagel.

Ik las een zin uit Brouwers *Datumloze dagen*: 'Voor je het goed beseft is de herfst definitief in je botten getrokken, nog even en daar rijst de dood al voor je op met haar stopwatch en bebloede zeis, op haar ene ingevallen perkamenten wang een zonnetje, op de andere een sterretje, haar maakt het niet uit of het dag is of nacht.'

Ik bleef liggen en staarde een tijdje naar buiten. Herfst. In al zijn glorie. Hoelang zou ik met dit zware en toch niet onprettige gemoed blijven liggen?

De avond ervoor had ik het weerbericht genegeerd en mijn fiets in de woonkamer schoongemaakt. Wielen eruit, spaken gepoetst, derailleur drooggeblazen. Zelfs de ketting kreeg een badje van wasbenzine.

Voorlopig ging het boek voor de sport.

Om drie uur zag ik vanuit mijn bed een gat in het wolkenpak.

Toch maar gaan fietsen. Afgezien van een verdwaalde honden-bezitter was er onderweg langs de Rotte niemand te zien. Geen wielrenners, geen roeiers, geen skeeleraars. Iedereen zat binnen bij de verwarming. Behalve ik. In een felle storm reed ik mijn rondje.

Terug in de stad zag ik langs een drukke weg hoe een man in de stromende regen een bos bloemen neerlegde bij een boom. Er lag een stalen plaat met een naam op de grond, ik kon niet le-zen of het om een plaquette voor een doodgereden mens of dier ging. Verderop, bij de hoofdingang van begraafplaats Crooswijk, was het druk bij het bloemenstalletje.

Op een kruising glipte mijn voorwiel in een tramrail. Ik viel en kwam hard op mijn rechterkant terecht. Pijn aan mijn knie, heup en arm.

'Alles oké,' riep ik iets te snel. Niemand luisterde. Twee Ma-rokkaanse jongens stonden te wachten op de tram. Ze lachten me uit. Ik krabbelde overeind, pakte mijn fiets van de grond en reed verder. De tram passeerde me. De jongens zwaaiden me door de achterruit pesterig toe.

In bad bekeek ik mijn wonden. De knie was er het ergste aan toe. Ter grootte van twee vierkante centimeter was een stukje huid los, alsof een deurtje op een kier stond. Ik deed het drie keer open en dicht. Ik pakte een schaar en besloot het er maar af te knippen. In de wc draaide het vlezige deurtje een ererondje in een kolk spoelwater voor het in het gat verdween.

Om half zes lag ik, oranjegeel van het jodium, weer op bed. Er was niets bijzonders op televisie. Wielrenners klagen altijd over niet-opgedroogde wonden, vooral schaafwonden, die tij-dens het slapen aan het beddengoed blijven plakken. Het leek me verstandig zo vaak mogelijk te verliggen en lang wakker te blijven.

Er restte nog maar één ding: lezen in de roman. Op de achterflap stond de schrijver met een melancholieke blik naar me te loeren. Sport leek me aan Jeroen Brouwers niet zo besteed. Aan zijn buik te zien sloeg hij geen maaltijd over.

Met het lezen van een paar regels naast de foto raakte ik weer in de gemoedstoestand van die ochtend: 'De dood bestaat niet. Wat bestaat is: het leven, al is dat minder dan een nevelspatje in de oceanen van deze tijd.'

Maar, want, dus

De derny's reden hun motor al warm toen de speaker van de zes-daagse in Sportpaleis Ahoy met opzienbarend nieuws kwam: de Belgische baanrenner Iljo Keisse zou hem toevertrouwd hebben straks met zijn ogen dicht zijn gangmaker te volgen. Keisse kon aan het motorgeluid horen waar en hoe hard hij moest rijden.

Ik zocht meteen naar Keisse, die nog stilstond op de baan in afwachting van het startschot. Met de ogen nog open keek hij naar beneden, naar het hout van de baan. Nog een paar secon-den en dan zou de dernykoers beginnen.

Hoog in Ahoy trok rook voorbij aan de witte lampen van het plafond. In het sportpaleis is roken verboden, maar de derny's paften er lustig op los. De benzine gierde vanuit het reservoir via een slangetje naar de motor. Wat overbleef was uitlaatgas. Het rook heerlijk.

Pang.

De renners zochten met hun voorwiel naar het spatbord van de derny. Zodra ze in één lijn met het brommertje waren, gaven ze gas. Dertig, veertig, vijftig, zestig kilometer per uur re-den ze.

Als Iljo Keisse met de ogen dicht reed, hóórde hij de geluiden van de zesdaagse.

Onder de baan was een loze ruimte die onbedoeld als klank-kast dienstdeed wanneer de renners en de derny's voorbijraas-den. Het moest een onbeschrijflijke herrie zijn als je onder de houten piste verborgen zat.

De speaker maakte tekstuele paardensprongen: 'Een aanval van Bruno Risi, van achter uit het deelnemersveld. Daar komt hij... Maarrr! Danny Stam komt nu ook naar voren. Dusss... denkt gangmaker Bruno Walrave, ik draai het gas helemaal open. Want! Er zijn nog tien ronden te gaan.'

In de bocht na de streep klonk iedere ronde een kreet vanaf de eerste ring van de tribune. 'Kom op, papa!' Het zoontje van Leon van Bon stond te schreeuwen naar zijn vader. Steeds weer in die flits van een seconde zoeken naar het bekende gezicht on-der die helm, verscholen achter de rug van de gangmaker.

De oren van Keisse herkenden feilloos het verhoogde toeren-tal van de dernymotor. Het einde naderde. Zijn benen draaiden een wezenloos hard tempo. Hij schoot naar voren.

Nog twee ronden. Stam reed voorop. Risi viel af. Van Bon viel af. Vierhouten ook. Alleen Keisse kon nog winnen. Dan moest hij Stam voorbij.

'Maar, want, dus!' riep de speaker weer.

De gangmaker sleurde Keisse mee en bracht hem als win-naar over de finish. Keisse opende zijn ogen. Ja, echt, hij had net gewonnen. Hij had het niet gezien, maar gehóórd. Hij trok aan zijn stuur als een menner aan de teugels van zijn paard. Het voorwiel kwam los van de baan terwijl hij nog zestig kilometer per uur reed.

Bij de finishlijn stonden mannen met een broodje worst in hun mond achter de reclameborden. Een rondemiss gaf een bos bloemen aan Keisse. Juichende Belgen op de tribune. Keisse nam de leiding over in het tussenklassement. Nog twee avon-den te gaan.

Keisse stapte af en vertrok uit het sportpaleis. Zondagavond vrij. Lekker.

's Nachts draaide Keisse in zijn hotelbed bij het verliggen als vanzelf ook linksom. Met knijpende vingers in het kussen maalde hij door. Bocht, recht eind, bocht, recht eind, bocht, recht eind.

Steeds weer dat zelfde rondje. Maar, want, dus. Met de ogen dicht. Er kwam geen einde aan.

Het lijstje van Lars

Nadat de 22-jarige Lars Boom in het Italiaanse Treviso wereld-kampioen werd, bezocht ik de fanpagina van de veldrijder. Er stond een lijstje op.

Rustpols: 36.

Favoriete drinken: kop thee met honing.

Lezen: niet.

Eten: spaghetti.

Kijken: mooie auto's.

Zo transparant kan het leven van een topsporter zijn. En laat niemand dit rijtje duf noemen, het is eerder een schoolvoorbeeld van hoe je moet leven om aan de top te komen.

Rustpols. Fijn woord. Ik wilde ook meteen een rustpols, en zeker een van 36. Om de twee seconden stuwt het hart van Lars het bloed door de aderen. Tussen die twee seconden is er een weldadige stilte in het lange lijf van Boom. Het hart herneemt zich, de ademhaling is langzaam en diep. En boem, weer een felle hartslag.

Bij zijn favoriete drank geeft Lars een kop thee met honing op. Ik kan me geen voetballer heugen die dit antwoord gaf. Voetballers doen stoer en komen met een bacardi-cola — de baco voor kenners — of ze hebben het over een 'lekker glas wijn, samen met het vrouwtje'.

Lars drinkt thee. Na het behalen van het wereldkampioenschap in Treviso zag ik moeder Boom langs de kant een traantje wegpinken. Moeder Boom. Nog nooit stonden twee woorden zo bol van kracht en vertrouwen naast elkaar. Moeder is het geheim achter Lars. Zij zet de thee. 'Altijd even laten trekken, de pot drie keer om de as draaien en langzaam gieten.'

En dan de honing, aan alle kanten van het lepeltje druipend, sloom in de thee laten zakken. Kaakjes om erin te dopen. Ideaal voor een topsporter.

Lezen doet Lars Boom niet en dat is maar goed ook. Een wielrenner moet fietsen, drinken, eten en slapen. Dat is genoeg. Lezen is ongezond. Je zit met je hoofd voorover in een krant of een boek. Slecht voor de bloedsomloop. En bovendien, waarom zou je die insinuerende krantenstukjes van die azijnpissers lezen of al die woorden in de boeken van John Grisham.

Spaghetti kun je Lars elke dag voorzetten. Met een bord pasta komt hij al een heel eind in een wedstrijd veldrijden. Simpele pasta. Geen modern gedoe met truffel, nee, gewoon ouderwetse bolognese. Het laatste sliertje binnenslurpen mag.

Heel bijzonder is het dat Lars Boom, als hij in zijn vrije tijd moet 'kijken', het liefst zijn vizier richt op mooie auto's. Na een trainingsritje zit hij thuis voor het raam en draait honing in eindeloze kringen door de thee. Tijdens het blazen staan zijn ogen gericht op de straat.

Lars neemt een slokje. 'BMW 316i sedan.' Het kaakje gaat er tot aan de helft in. Hij slurpt het zachte deel naar binnen en mompelt, met halfvolle mond: 'Toyota Verso vijfdeurs.' Als een mantra gaat het zo het hele uur door. Na zijn tweede kopje thee en zevenhonderd auto's verder, gaat Lars naar bed.

Voor het slapen gaan voelt Lars nog even aan zijn spieren die elke dag het werk moeten doen. Machtige dijen, forse billen en een harde buik zonder ook maar één randje vet. Met twee vingers aan de pols voelt hij zijn hartslag dalen. Van 44 naar 40 en dan weer op die vertrouwde 36 slagen per minuut.

Spaghetti eten, thee met honing drinken, auto's kijken, een rustpols van 36 voelen en slapen in de regenboogtrui. Het leven is mooi voor wereldkampioen Lars Boom.

Waaiers

Weerman Erwin Kroll stond in een kleine toonzaal te kijken naar de wolken op een oud doek. Het was Museumnacht in museum Boijmans Van Beuningen. Het publiek wachtte in spanning af wat Kroll over 'het weer in de kunst' te zeggen had.

De handen van Erwin zweefden langs de meesterwerken, met precies dezelfde motoriek als op televisie. Alsof zijn vingers twee grote douchekranen opendraaiden. Met zijn hoofd kwam hij vlak bij de perkamenten wolken op het schilderij. Hij leek van iedere penseelstreek te genieten.

'Typisch Hollands dagje. Grijs, grijs,' zei Kroll.

In de namiddag had ik thuis zitten kijken naar de voorjaarsklassieker Omloop Het Volk. Je hebt altijd het idee dat de coureurs een tijdje op stal zijn geweest. Het fietsende vee moest nog wennen aan het parcours, wennen aan het frisse weer.

Er ging een stevige wind over het landschap. De renners zochten beschutting. Als ze schuin achter elkaar reden, zag je de 'waaiers' ontstaan, zeker als er vanuit de helikopter werd gefilmd; kleurige, steeds veranderende slierten van renners, die het gevecht met de tegenwind aangingen.

Al kilometers voor het einde was de wedstrijd beslist. De Waalse coureur Philippe Gilbert reed weg en bleef alleen vooruit. Vol ongeloof keek ik naar de krachtsinspanning van Gilbert.

Helemaal in zijn eentje, kop in de wind. En ik maar denken dat je in een waaier moest blijven zitten wilde je kans maken op de overwinning.

'De wind, je kan er geen peil op trekken. Dan weer van voren, soms op de flank,' zei de verslaggever op de motor. Ik keek naar de toppen van de bomen, maar kon de windrichting ook niet vaststellen. Velzeke-Ruddershove. Scheldewindeke. Als het daar niet waaide, waar dan wél op aarde?

's Nachts in het museum laafde Erwin Kroll zich aan de luchten op de schilderijen van oude meesters. Net als de wielrenners taxeerde hij de lucht, iedere dag weer. Kroll fixeerde zich op donkergrijze kwaststreken die zwanger waren van de regen. En steeds vond hij de windrichting.

Kroll betrapte de schilders op onvolkomenheden. Ze gingen slordig met het weer om. Hoe kon Jan van Goyen (1596-1656) op één doek een paar grazende koeien en dreigende lucht zo samenbrengen?

'Wat doet een koe als ze zulke wolken ziet?' vroeg Kroll. Het publiek bleef stil. 'Dan draait ze haar kont naar het weer, natuurlijk.'

Zondag keek ik weer naar het wielrennen, Kuurne-Brussel-Kuurne. Ik kon alleen nog maar naar de lucht turen. Grijs, zoals op de schilderijen van zaterdagnacht. Ik zag onheil. Wind, veel wind. Een dag voor waaiers.

Net als de renners probeerde ik na iedere bocht in het parcours te kijken waar de wind zat. Wapperende vlaggen, dan moesten ze de wind schuin tegen hebben. Maar waarom hing het lange haar van de vrouw op het boerenerf dan zo doodstil toen de koplopers langskwamen?

De latere winnaar Steven de Jongh bleef in de laatste kilometers achter de rug van zijn medevluchter zitten. Verstandig. De Jongh pufte als een lekke blaasbalg. Na de finish stonden de strepen van de inspanning op zijn gezicht. Ze wezen naar alle windstreken.

Ik zag Erwin Kroll weer voor het werk van de oude meesters staan. Eén blik naar het wolkenpak en hij wist alles over het weer. De weerman moet een keer mee met de koers, in een volgwagen. Dan kan hij in de oordopjes van de coureurs praten. Over stapelwolken, drukgebieden en hoosbuien. En over wind. Allerlei soorten wind.

Ik zweer het je, het zou een jas schelen.

Glazen potje

Als kind fantaseerde ik over de dood. Ik was ervan overtuigd dat een ijselijke wind je de adem zou benemen. Met de dood in de buurt — ook als hij niet voor jou kwam — kon je niet meer eten, niet praten, niet bewegen. Van buitenaf moest je weer een duwtje krijgen, anders was je tot niets in staat.

Inmiddels heb ik gemerkt dat mensen die een naaste verliezen nog tot van alles in staat zijn. Ze kunnen bellen, troosten, koffiezetten, lachen, huilen, autorijden, post openscheuren. Maar wat kun je nog als je eerste kindje op zijn eerste levensdag sterft?

Profwielrenner Kevin Van Impe maakte het mee. Zijn zoontje werd te vroeg geboren en liet na zes uur het leven. Een paar dagen later zat hij in zijn huis in Erpe-Mere met de begrafenisondernemer om de tafel.

Van Impe en zijn vrouw hadden gekozen voor een crematie. Als wielrenner denk je normaal gesproken aan je fiets, aan voeding, aan een oordopje, aan het parcours. Nu moest Kevin Van Impe zijn mening geven over de voering van het doodskistje, wel of geen bloemen, en het lettertype van de rouwkaart.

Toen ging de deurbel. De dopingcontroleur. Met als eerste zin: 'Kom ik ongelegen?'

Wie had deze scène kunnen verzinnen? John Cleese, Jiskefet, French and Saunders? Niet uit te leggen krankzinnigheid.

Humor mag een beetje pijn doen, zeggen ze dan. Waar houdt humor op en begint gêne?

De dopingcontroleur stapte binnen met formulieren en een glazen potje. Of Kevin even een plasje wilde plegen. Ik stel me voor dat de staalkaart met vurenhout, eiken en wit afgelakte wengé nog tussen de begrafenisondernemer en mevrouw Van Impe op tafel lag.

Volgens de Vlaamse kranten heeft Kevin Van Impe de situatie uitgelegd, maar wilde de man de dopingprocedure toch afmaken. Van Impe moest in het bijzijn van de controleur plassen. Het duurde een uur voordat de wielrenner een paar druppels uit de blaas geperst kreeg. Een uur. De dopingcontroleur — de simpele arts is ook maar een vazal van De Almachtige Wielerbazen — ligt zwaar onder vuur in België. De man beweerde dat Van Impe zelf wilde plassen.

Ik was er niet bij. En toch zie ik het haarfijn voor me: een man met een glazen potje, een water drinkende wielrenner die onafgebroken frommelt aan zijn kruis, een huilende vrouw en een begrafenisondernemer die formaat, kleur en houtsoort wil weten.

De profwielrenner van tegenwoordig moet opgeven waar hij elke dag verblijft — de door Rasmussen beroemd geworden *whereabouts* — en altijd beschikbaar zijn voor een onverwachte dopingcontrole. Hoe vogelvrij kan een sporter zijn?

Het peloton bleef bij de start van de laatste etappe van Parijs–Nice een paar minuten stilstaan, uit protest tegen de gang van zaken in huize Van Impe. De wielrenners zijn niet tegen dopingcontroles, maar ze houden van goede manieren.

De wielrenner moet altijd melden waar hij zich bevindt. Ook als hij afscheid neemt van zijn dode kind. Van Impe overwoog serieus 'het crematorium van Lochristi' als *whereabouts* op te geven.

Er is één scène mogelijk die het beeld van de huiskamer in Erpe-Mere nog kan overtreffen: de begrafenisondernemer drukt op een knop. Het kistje zakt. Verdriet in het kwadraat. De aula is zwanger van de dood. Achterin piept de deur. Niemand heeft nog omgekeken. Maar hij staat er echt: de man met het glazen potje. Komt hij ongelegen?

Ik hou het voor mogelijk.

Merde

De renners waren vertrokken voor de eerste etappe van de Tour de France 2008. Drie uur lang turen naar het peloton, de kilometeraanduiding en het verglijdende landschap.

Er was een kopgroep weg zonder grote namen. Dan kun je denken: ach, b-garnituur, ik maak nog even een ommetje — maar ik ben zo vaak belazerd door onverwachte invallen van wielrenners dat ik nu maar op mijn post bleef. Ik verveelde me een beetje. Gaf niets. Tijd om te dagdromen, gedachten te ordenen, het bestaan te ijken.

Voor de Tourkijker is een saaie etappe een gratis en associatief reisje door Frankrijk. Het steeds van gedaante veranderende peloton werkte als een hypnotiserende clip. Van bovenaf gezien sneden de ruggen van de renners door de akkers.

Ik dacht terug aan mijn eerste fietstocht door Bretagne. Vriend Simon en ik waren zestien jaar. We vochten ons kapot op de glooiende weg, op dikke banden, terwijl het stalen frame van de rugzak bij iedere pedaalslag in mijn heup prikte. Uitgehongerd en doodop kwamen we aan op een camping in de buurt van Saint-Malo. Op een gasje bakten we plakken Smac in een koekenpannetje. Je zet het nog geen zieke hond voor, maar wij vonden het heerlijk.

Er was nog honderd kilometer te rijden voor het peloton, op

weg naar Plumelec. Er gebeurde niet veel. Ik kon toch wel heel even weg van de televisie? Ik liep naar de koelkast voor iets lekkers. Naast het aangesneden pakje boter lag een mueslireep te wachten op een plaats in mijn wielershirt. Net toen ik een plakje wijncervelaat tot een sigaar draaide, hoorde ik in de voorkamer de commentator van dienst schreeuwen. Zie je, ik had niet weg moeten lopen. Er was iemand gevallen. Wie? Het wachten was op een naam, een rugnummer desnoods. Hervé Duclos-Lassalle. Hij had een etenszak in zijn wiel gekregen en was tegen het asfalt gesmakt.

Duclos-Lassalle stierf van de pijn. Met een kromme rug liep hij naar de berm. Zijn rechterhand ondersteunde zijn linkeronderarm. Gebroken. Ik wist het zeker. Zo hield je een arm vast met een botbreuk.

'*Merde!*' riep hij, vanwege de stekende pijn en ongetwijfeld het besef dat hij niet verder kon. De witte auto van de Tour stopte. Een arts pakte een plastic manchet en schoof die over de arm. De renner nam met zijn goede hand zijn zonnebril af en controleerde of er geen barsten in het glas zaten. Aan wie zou hij het eerst denken? Aan zijn sponsor of aan zijn vriendin?

Terwijl een verzorger de wielrenner in zijn nek aaide, herinnerde ik me het veilige lijf van juffrouw Joosten. Ze troostte me nadat tijdens de gymles een stalen buis op mijn pols was gevallen. Ellepijp doormidden. Ik huilde. De eerste botbreuk in mijn leven. Het besef dat je niet van staal bent.

Waar je allemaal aan denkt als een wielrenner in de Tour zijn arm breekt.

Smac. Ellepijp. Woorden uit een andere eeuw.

De tijd vliegt. *Merde*.

Hard naar boven

Hij verdient een ronkende aankondiging als in een circuspiste. 'Dames en heren. Hij is zo licht als een veertje, heeft een natuurlijke hematocriet van ver boven de 50. Zijn bloed is zo dik als de vetste stroop. Uw applaus voor Riccardooo Riccooo!'

De winnaar van de eerste Pyreneeënetappe kwam als geroepen. Met een verbluffende solo verstomde hij het gemor in de Tour de France 2008 over het vermeende dopinggebruik van Manuel Beltrán.

Er was een nieuwe held opgestaan. Riccardo Riccò was de naam. Hij wilde aanvallen en moe over de streep komen. De vergelijking met Marco Pantani drong zich op. Een uitgebeende renner die met souplesse op zijn trappers stond en niet zo berekenend fietste. Als een jongetje dat de verleiding van steil oplopend asfalt niet kon weerstaan.

Zo hard als je kunt naar boven, was het devies van Riccò.

De Italiaanse renner raasde met een mooie knik in zijn armen de straten van de finishplaats Bagnères-de-Bigorre binnen. Ik sliep er halverwege de jaren tachtig met vakantievrienden in een hotel tijdens een doorkomst van de Tour de France. Fotograaf Klaas Jan van der Weij sliep in hetzelfde goedkope hotelletje. Met het stof van de motorrit op zijn gezicht ontwikkelde hij direct na de etappe zijn fotorolletje in de wasbak. Terwijl het negatief nog vochtig was van de fixeer, leverde hij foto's in zwart-wit aan de krant. Het woord 'digitaal' bestond niet.

Even leek het Tourweekend in het teken te staan van zondaar Beltrán, de 37-jarige wielrenner die vanwege epogebruik als een laaielichter in de boeien werd geslagen door de Franse politie. Epo. Hopeloos gedateerd goedje. Veel te gemakkelijk op te sporen. Als je doping wilt gebruiken, ga dan met de tijd mee. Bewandel nieuwe wegen. Epogebruik is in deze tijd net zo door-zichtig als het urinepeertje van Pollentier in de Tour van 1978.

Riccardo Riccò reed op de Col d'Aspin. Beltrán bestond niet meer. Ik zag Riccò met een fraaie rug, alleen klimmend op een berg tussen twee rijen publiek door. Net na de finish stonden fotografen klaar om zijn zegegebaar digitaal vast te leggen en in kleur naar hun krant te zenden.

Was de aanval van Riccò een voorbeeld van het zo vaak rond-gebazuinde 'nieuwe' wielrennen? Ben je belazerd. Ik zag een man, strijdend op een fiets. Ouderwetser kon het haast niet. Hij hoefde alleen nog een plas in te leveren bij de dopingarts.

Yes. No?

Denis Mentsjov is in de Tour de France van 2008 de kopman van de Raboploeg. De Rus rijdt in een oranje-blauw tricot en krijgt een uitstekend honorarium betaald door een Hollandse bank. Het tv-commentaar van de NOS is pro-Mentsjov. Af en toe geeft de renner een interview. Daar houdt Denis niet van, vooral omdat hij niet weet wat hij moet antwoorden.

Ontkenning is zijn handelsmerk. Denis Mentsjov staat na de aankomst van de bergetappe naar Prato Nevoso met zijn voeten aan de grond. Hij heeft zijn rivaal Cadel Evans achter zich gelaten, maar is ook gevallen toen hij aanviel op de laatste berg.

Daar is de microfoon.

Denis, hoe is het met je?

'*I feel good, no.*'

Waardoor viel je?

'*Very slippy, no.*'

Die val kostte je seconden?

'*I was unlucky, no.*'

Zit je woensdag weer bij de eersten?

'*Normally yes, no.*'

De filmrechten op deze dialoog zijn inmiddels verkocht. Mensen die met een geheim lijken te leven, daar zet je graag een camera op. De verkering van Mentsjov moet van boswandelingen houden. Of ze leest heel dikke boeken en wil dan absoluut niet gestoord worden. *The Sound of Silence* is hun lievelingssingle.

De acteurs Joe Pesci en Robert de Niro zijn experts in '*fuck*' zeggen in maffiafilms. Ze proppen het woordje overal tussen. Premier Balkenende zegt 'het kan niet zo zijn dat...' als hij verontwaardigd is. Mentsjov is de man van '*no*' aan het einde van de zin.

Mentsjov is geen prater. Hij bouwt in een ultrakorte Engelse zin iets op en breekt het aan het eind weer af. Het '*no*' zaait twijfel bij de luisteraar. Het klinkt als: 'Of niet soms?'

Tijdens de rustdag in de Tour wil Denis Mentsjov luieren op het terras van het hotel in de Italiaanse Alpen. Hij wil koffie bestellen. Russisch is geen optie, al rukt die taal snel op in Europa. Engels dan maar, hoewel de Italianen daar doorgaans niets van bakken.

Mentsjov: '*I want coffee, no.*'

Ober: '*No coffee, sir? You want tea?*'

Mentsjov: '*Coffee, no?*'

Ober: '*Yes, we have. Cappuccino, lungo, ristretto...*'

Mentsjov: '*I want coffee, no.*'

Ober: '*No coffee, sir?*'

Mentsjov en de keurige ober houden elkaar eindeloos aan de praat. Als 's avonds laat een briesje aanwaait vanuit de Alpen, zegt de baas van de zaak — terwijl hij de zonwering omhoogdraait — dat de twee maar verder binnen moeten bakkeleien over de bestelling.

Communicatie is nagenoeg onmogelijk met de Rus.

Daags na de rustdag gleed Mentsjov met zijn fiets onderuit in een scherpe bocht. Hij drukte op het knopje onder zijn shirt om met de volgauto te overleggen.

Mentsjov: '*Fall, no.*'

De ploegleiders Dekker en Breukink zullen elkaar aangekeken hebben. Is hun kopman nu wel of niet gevallen?

Rare Mentsjov.

Twijfel staat in zijn ogen. Hij hakkelt zich door interviews heen. Hij vergeet in de eerste Tourweek met de eersten mee te rijden en verliest bijna 40 seconden. Hij kijkt voortdurend achterom als hij aanvalt.

Hoe moet het als de Rus ooit op het podium staat met de gele trui in het mondaine Parijs?

Sarkozy, na een ferme handdruk: *'Denizz, are you 'appy?'*

Mentsjov: *'Eh. Yes. No?'*

Heilige geest

Met ongeloof keek ik naar de fiets van Cadel Evans. De Australische renner reed tijdens de beslissende tijdrit in de Tour de France op een exemplaar van bijna één miljoen euro. Je zag het er niet aan af. Het bleef een fiets: een frame, een stuur met remmen, een derailleur, twee wielen en een bidon.

Evans zat waardeloos op zijn zadel. Al na tien kilometer gleed hij met zijn achterste naar het puntje om vervolgens minutenlang zo door te blijven rijden. Het was vragen om de zo gevreesde derde bal. Hopeloos. Hij ging de achterstand op Carlos Sastre niet meer inlopen, dat kon een kind nog zien. Met een vertrokken gezicht reed hij over de finishlijn. Hij wist dat hij de eindzege misgelopen was.

Een miljoen euro investeren in een aerodynamische, vederlichte fiets en dan toch kansloos rondrijden. Niets is zo lachwekkend als luxe die niet deugt. Het zag eruit als een zakenman die in het financiële district zijn nieuwe Jaguar moest aanduwen.

Evans moet thuis maar eens heel zuinigjes, voor twee euro, een kop koffie bestellen in een sober café en dan rustig nadenken over zijn manier van fietsen. Hij heeft in de sportschool beestachtig gewerkt aan de kracht in zijn spieren en de omvang van zijn borstkas. Fijn. Nu nog leren dat je met zo'n getraind lichaam kunt aanvallen. Een aanvaller die verliest, daar kan ik mee leven. Nog te vaak is Evans een afwachtende wieltjesplakker.

Sastre kreeg de beloning voor zijn offensieve rijden op l'Alpe d'Huez. Geen idee wat zijn fietsje kostte, maar hij zat prinsheerlijk te paard. Souplesse was het toverwoord. De bilnaad nagenoeg de hele tijdrit tegen de achterkant van het zadel gedrukt, zoals het hoort.

Van het zitvlak niets dan goeds.

Toen Sastre na de tijdrit over de finish kwam, sloeg hij tergend langzaam een kruis. In de naam van de vader, de zoon en de heilige geest, amen. Dat je in naam van je vader fietst, kan ik begrijpen. De jonge Sastre reed rond met de genen van de oude Sastre.

In naam van de zoon. Je kroost in gedachten, ik had van de Spanjaard niet anders verwacht. Een paar jaar geleden haalde hij na een geslaagde solo in de Tour een speen uit zijn shirt en stopte die voor de finish in zijn mond. In de naam van zijn pasgeboren kleintje.

Rest de heilige geest.

Wie is deze anonymus die boven het peloton zweeft? De paus wellicht, die zijn zegen geeft aan de renners die de bergen intrekken. Of de naamloze artsen, met bloedtransfusies en epopikuurtjes.

Of sloeg Sastre een kruisje voor de douanier die met getrokken pistool de vader van de wielerbroertjes Schleck wegens vermeend dopingbezit uit zijn auto sleepte? En alleen een aspirientje vond.

Heilige geest, ben jij de weldoener van de wielersport? Hou jij winnaar Sastre, de betrapte Riccò, de Tourdirectie, mecaniciens, journalisten en miljoenen andere wielergekken in de ban van de fiets?

Laat iets van je horen, geest. Waar hang je uit? Geef in gods-naam je *whereabouts* op. Zit je in de hemel of in de hel? Zeg het, en wij Tourfans komen je opzoeken met een fles champagne. Om je te danken voor drie weken vol valse romantiek, bedrog, uitputting, strijd en overgave.

Viagratandwiel

De Angliru, ook wel het Monster van Asturias genoemd, was *alive and kickin'*. Onder de grond schopte een prehistorisch gedrocht onophoudelijk tegen het gesteente aan. In het live verslag op televisie van de etappe in de Ronde van Spanje lag de top van de Angliru eerst op 1570, daarna op 1680 meter. De steilste berg van het jaar toonde dus een teken van leven.

Het peloton was bang. De avond voor de klim sliep geen renner makkelijk in. Mecaniciens kropen bij elkaar. Wat voor een verzet moest er op de fiets van de jongens? Ze haalden tandwieltjes uit de doos die eigenlijk bedoeld waren voor zwaarlijvige recreanten op een lullig heuveltje in de Ardennen.

's Ochtends stond het peloton aan de start. Terwijl ze de slaapkorrels uit hun ogen wreven, keken de renners naar elkaars fietsen. Daar. En kijk, daar ook één. En nog één. Allemaal fietsen met een extra klein tandwiel vóór. 34 tandjes. Als een melkgebit.

Ik dacht aan een iets oudere wielervriend, die me toefluisterde dat alle mannen ooit aan de tripel moesten, een klein tandwiel vóór, van dertig tandjes. De tripel, zeg maar het viagratandwiel, is nog één stap verwijderd van de Spartamet. Dank je de koekoek.

De kopgroep in de Vuelta nam het laatste stuk van de Angliru. Alleen de echte klimmers bleven over. Alberto Contador, winnaar van de Tour 2007, zwalkte over het asfalt. Alejandro Valverde beet met zijn voortanden in het stuurlint. De oersterke Robert Gesink hapte naar het laatste beetje lucht. Een voor een kropen ze de Angliru op. Om de stijgingspercentages van de Jaizkibel en Tourmalet werd gegniffeld. Kinderspel voor de prof. De renners reden over een voormalig herderspad. Voormalig, ja. De herder is bezweken onder de druk van zijn beesten. Hij zag de wanhoop in de ogen van de schapen bij het naderen van het bordje '23,6 procent stijging'. In het dal heeft de herder zijn excuses aangeboden aan de voltallige kudde.

Mag je renners zo'n extreme klim voorzetten? Natuurlijk. Het moet zelfs. Het is de redding van het cyclisme. Alleen de profs komen zo'n helling op. De recreant stopt beschaamd zijn klimfotootje weg.

Deze steile helling is voor de manische topsporter. Voor de vechtjas die traint en van geen opgeven weet. Ik zou zeggen: stuur de renners vandaag wéér over de Angliru. En morgen. En overmorgen. Tot de dood erop volgt.

Poco loco

De voorjaarskoers Omloop Het Volk heeft een nieuwe naam gekregen: Omloop Het Nieuwsblad. *Het Volk* was een mooie naam,
ouderwetser. Maar sinds die krant is overgenomen door de gro-
tere broer, hadden de organisatoren geen keus.

Met de nieuwe naam leek ook de tactiek van het wielrennen
veranderd. Zelden heb ik zo met mijn handen in het haar gezeten als tijdens Omloop Het Nieuwsblad, de traditionele opening
van het seizoen. Ik had me ingesteld op het wennen aan nieuwe
shirts, nieuwe sponsors, nieuwe gezichten. Niet op een volledig
nieuwe tactiek in het cyclisme.

Juan Antonio Flecha sprong weg uit de achtervolgende groep.
Er was al een Rabo-renner in de aanval, Sebastian Langeveld.
Het is toch een gouden wet dat je nooit je maat achterna rijdt als
hij op kop ligt?

Raar. Idioot.

De nieuwe wielertactiek verloopt volgens het Cruijffiaanse
principe: als je per se wilt winnen, verlies je het meest. Of: als je
op kop rijdt, ga je er niet op vooruit.

De Raboploeg was de hele dag oppermachtig. Tijdens de beklimming van de Taaienberg reden vier renners van de Nederlandse ploeg vooraan. Het was een bizar gezicht: vier oranje wie-
lershirts achter elkaar in het landschap, als in een ploegentijdrit.

De andere ploegen knokten om erbij te komen. Het lukte, met pijn en moeite. Later in de wedstrijd sprong Langeveld weg, met de Duitser Heinrich Haussler van de ploeg Cervélo. De twee konden goed met elkaar overweg. Ze hadden ongeveer één minuut voorsprong.

Ik fantaseerde al over de finish. Normaal gesproken zou Haussler winnen, die had een goede sprint in de benen. Normaal gesproken. Maar wat is 'normaal' als je 200 kilometer op een zadel hebt gezeten?

Langeveld kon nog van alles proberen. Vermoeidheid voorwenden, Haussler opeens in het Russisch toespreken, zeggen dat de Duitser een gek gezicht had, zijn bidon leegspuiten op zijn helm. Wie niet sterk is, moet slim zijn.

Achteraf zou Langeveld zeggen dat hij zich goed genoeg voelde om de klassieker te winnen. Vanuit de ploegleiderswagen dacht Erik Dekker daar anders over. Hij schreeuwde in de oordopjes van Flecha en Posthuma dat ze naar hun ploegmaat moesten rijden. Om te helpen. Om Haussler het angstzweet aan te jagen.

'Geniaal,' zei Dekker achteraf over zijn tactiek.

Hoe kan Dekker zo naïef zijn geweest? Door zijn ploeg zo hard achter de koplopers Langeveld en Haussler te laten rijden, kwam er uiteindelijk een grote groep renners aan bij de finish. Langeveld werd in de laatste kilometer voorbijgestreefd en viel nog vlak voor de streep. Hij kwam met schaafwonden en hoofdpijn over de finish. Flecha werd derde, terwijl Langeveld tweede geworden zou zijn en misschien zelfs eerste.

Wat was er 'geniaal' aan de tactiek?

Die arme Flecha. *Un poco loco.* De Spanjaard heeft sinds zijn komst naar de Raboploeg pas één wedstrijd gewonnen. Hij is hét voorbeeld van de oersterke renner die altijd op de verkeerde momenten op kop rijdt en met zijn krachten smijt. Flecha is vaak de beste onderweg maar zelden de beste op de finishlijn. Zijn persoonlijke credo is al jarenlang: onderweg vechten, aan de finish verliezen. Het is Flecha vergeven. Alles beter dan apathie.

Na het weekend bladerde ik door de sportpagina's van *Het Nieuwsblad*. Geniale tactiek is niet in een fotokader te vangen. De fotograaf van de krant had bij de finish alleen interesse gehad in het eerste wiel over de witte streep. Het wiel van de lachende winnaar Thor Hushovd.

Naakt met wiel

Alles was grijs. Het gras, de lucht, de klei. Een soort grijs dat alleen in Noord-Frankrijk aan de man wordt gebracht. Zelfmoordgrijs. Grijs dat alle tinten de baas is en van een grauwsluier voorziet. Zelfs mijn oude Mercedes, in mijn beleving gelakt in fris olijfgroen, stond in deze omgeving somberend aan de kant, met spatten modder op de flanken.

Haveluy heette de kasseienstrook hier, een smal pad van ongelijke oerstenen, bij elkaar gehouden door gruis, slijk en onkruid. Het was november. Er was geen reden om in de herfst in Haveluy te zijn. Dat geldt misschien wel voor het hele jaar. Met uitzondering van de tweede zondag in april, als de wielerklassieker Parijs–Roubaix verreden wordt. Dan staat de berm vol supporters die met eigen ogen willen zien hoe het peloton over de kasseien gaat.

Half negen in de ochtend. Het was de wens van de fotograaf om zo vroeg op deze plek te zijn. Drie uur eerder waren we samen in mijn auto weggereden uit zijn woonplaats Vilvoorde. De fotograaf kende de route uit zijn hoofd. Hij had het parcours ooit met een vriend gefietst, een week voor Parijs–Roubaix.

Haveluy. De fotograaf kon zich geen eenzamer landschap voor een wielrenner voorstellen. Daar moest ik staan. In de ochtend. De man en zijn fiets. Verder niks. Niemandsland. Hij had gelijk, zag ik. Er was niets in Haveluy. Een wonder dat deze plek een officiële plaatsnaam had gekregen.

Een kwartier eerder reden we met de auto stapvoets door de streek. In het dorp Arenberg zagen we nog mensen op straat. Een vrouw met hooggesloten regenjas had over straat gelopen. Ze trok een boodschappenwagen achter zich aan. Een van de wieltjes weigerde dienst. Ze passeerde een man die op de bus wachtte. Ik zag zijn beroerde huid. Als een te haastig geschilde aardappel.

De luiken van de bakstenen huizen van het voormalige mijn-werkersdorp Arenberg waren allemaal nog dicht. De mannen van de schacht die jarenlang iedere avond aan de wastafel het kolen-gruis in hun avondfluim vonden, zaten werkloos thuis. Achter het dorp doemden de hoge kranen op die de kolen decennialang uit de grond hadden getild. Ze waren van een nieuwe verflaag voorzien. Grijs, natuurlijk. Opgesmukt industrieel erfgoed. Zelfs de kleur van roest zou nog vrolijk ogen in deze streek.

Haveluy lag vier kilometer verderop. Een doodsakker. Uiter-mate geschikt voor het uitstrooien van je as. De fotograaf en ik keken om ons heen. In de verte stond een shovel met de bak naar de hemel gericht. Bewegingloos. Ik zou ook niet weten waar te beginnen in dit gebied.

Ik dacht na over groenten. Spruiten. Jaren geleden was ik 's ochtends vroeg vertrokken voor een lange tocht over de Zuid-Hollandse eilanden. Het was kil en ik had te weinig gegeten. Dat kwam me duur te staan. Terwijl het vlak was, reed ik met een bergverzet. Vlekken voor mijn ogen. Dit was wat ze in het pelo-ton 'zwarte sneeuw' noemden. Ik stapte af. In een veld groeiden spruiten. Ik trok er een paar los, spoelde ze schoon in een sloot en at ze rauw op. De combinatie van honger en kou wens je geen enkele renner toe.

Ik haalde het frame van mijn fiets uit de achterbak en stak de wielen erin. De fotograaf draaide een rolletje in de donkere kamer van zijn Pentax. Hij was een fotograaf van het traditionele soort. Zwart-wit. Vanzelf. Met zijn wintertrui veegde hij de lens schoon. Hij keek erdoorheen, naar de lange kasseienstrook die honderden meters verder oploste in mist.

'Heel mooi,' zei hij.

Ik dacht aan ons telefoongesprek, een paar dagen eerder.

'De zon is mijn grootste tegenstander,' had de fotograaf gezegd.

Kennelijk had hij door een onderonsje met de grote hemelman het licht weten te dempen. De zon moest elders op zoek naar een gat in de grijze deken. In Haveluy hingen de wolken schouder aan schouder.

Uit de kofferbak haalde ik een tas met wielerkleding omhoog. Ik trok mijn pak uit. Eerst mijn colbert, daarna mijn broek, overhemd, onderbroek, schoenen, sokken. De kou streek neer op mijn huid. Drie graden boven nul, volgens de weerman op de autoradio. Snel trok ik mijn wielerbroek aan over mijn blote lijf. Daarna een donkerblauw wollen shirt, kousjes, schoenen.

Ik glibberde langs de Mercedes naar de weg. Wielen van karren, auto's en tractoren hadden de kasseien links en rechts naar beneden gedrukt. De rug van de weg lag inmiddels twintig centimeter hoger.

'Ga maar precies in het midden staan,' zei de fotograaf.

Hij stond op zijn stalen koffer. De eerste, trage klik vanuit zijn toestel. Handmatig draaide hij door voor een volgende foto. Dat had ik lang niet meer gezien.

'Iets naar links. Beetje naar rechts weer. Zo is het goed.'

Ik stond muisstil. De ochtendkou trok door mijn wielerkleding. Naar mijn borst, mijn bovenbenen.

Haveluy. Ik was hier al eerder geweest, bedacht ik, terwijl ik strak in de lens bleef kijken. Als volger van de karavaan van Parijs–Roubaix. Een paar jaar geleden was ik samen met een collega in zijn auto over de kasseienstroken gereden. We hadden een langgerekte sticker van de organisatie van de klassieker op de voorruit. Een machtig gevoel. We hoorden officieel bij de koers.

Er was een kleine kopgroep geweest. Het peloton lag een paar minuten achter. Wij reden er precies tussenin. De kasseien waren nat. De renners zouden als kleipoppen aankomen. We hadden redelijk goed zicht. We reden door een haag van mensen. Ik zag een man met losse wielen tussen de wielerfans staan. Het was Patrick Lefevere, een Belgisch ploegleider met reservemateriaal. Hij keek over onze passerende auto heen het landschap in. Elk moment konden de verkleumde renners van zijn ploeg aan hem voorbijtrekken.

Ondanks de schokdempers raakte de onderkant van onze wagen soms de kasseien. De cola schudde uit het blikje op mijn pak. Steffen Wesemann, de oudere Duitse kasseienspecialist, liet zich uit de kopgroep zakken. Althans, dat zei de scanner in krakerig Frans. We reden ongeveer tweehonderd meter achter hem. Boven ons hing een helikopter van de Franse politie. Je moest hard praten om je verstaanbaar te maken.

'Zitten we er niet te dicht op?' riep ik.

'Na deze kasseienstrook komt een brede asfaltweg, dan kan iedereen ons voorbij,' riep mijn collega vanachter het stuur.

Voor ons reden een paar motoren over de stenen. De achterbanden glipten steeds weer weg. Onze auto moest vaart houden om niet uit balans te raken.

In de verte zag ik een renner rijden.

'Daar is Wesemann al. Wanneer komt die brede weg?'

'Dit is een lange strook...' zei de collega.

'Hij recht zijn rug, zie je dat? Hij gaat zo langzaam, straks zitten we tegen zijn achterwiel.'

Ik keek achterom. Steek in mijn maag. Het peloton. Een flinke groep renners kwam als een kudde op drift geraakte stieren op ons af. De mensen langs de kant stonden op de weg. Er was nauwelijks ruimte om door te rijden.

Het peloton naderde tot op honderd meter. De radio spuugde een felle Franse zin uit. 'Wagen 213. U moet daar weg. Weg!'

Op de achterruit van onze auto las ik in spiegelbeeld de drie cijfers op de sticker.

'Ze bedoelen ons, we moeten hier weg.'

In de helikopter moesten ze onze auto in het vizier hebben.

Links en rechts sprongen wielerfans op het laatste moment in de berm om niet geraakt te worden door de auto. Voor ons liet Wesemann zich zakken, achter ons naderde het peloton. We konden geen kant uit.

'Wagen 213. Weg. Nu!'

Mijn collega wisselde onophoudelijk zijn blik tussen de achteruitkijkspiegel en de weg voor ons. Achter ons toeterden directiewagens van de koers. De helikopter scheerde op honderd meter boven het parcours.

We zagen Wesemann iets te eten pakken uit de achterzak van zijn smerige shirt. Het was nog net te ver om te zien wat hij in zijn hand had. Achter ons was een vals akkoord van claxons te horen.

'Wagen 213. *Exclu!*'

Exclu. We waren uitgesloten van de koers. Een motorrijder reed langs mijn raam. Wilde gebaren. Onverstaanbare kreten vanonder een zwarte helm. We moesten hem volgen. Wat konden we anders? Hij reed met zijn motor brutaal het publiek in dat een gaatje maakte voor onze auto. Mijn collega stuurde de wagen zo ver mogelijk de vrijgemaakte berm in.

Een paar politiemotoren en een chique koerswagen raasden links aan ons voorbij. Meteen daarna volgde het peloton. Een boze renner sloeg op het dak van de auto.

Voor ons stond de motorrijder nog steeds stil. Terwijl hij op zijn motor bleef zitten, haalde hij zijn hand uit de handschoen. Met zijn nagels peuterde hij aan de sticker op onze voorruit. Met één ruk was hij los.

'*Exclu!*' riep hij, ten overvloede. Hij maakte ons duidelijk dat we na de kasseienstrook onmiddellijk het parcours moesten verlaten.

Nadat alle ploegleiders met hun wagens ons voorbij waren gereden, leidde de motorrijder ons over de kasseienstrook. Een gendarme aan de kant maakte een beweging. We moesten afslaan. Terwijl alle hoofden langs de kant de laatste renners nakeken, verlieten we het parcours.

We konden nog maar één ding doen: via de rijksweg omrijden naar de finish in Roubaix.

'Het kan ook naakt,' zei de fotograaf. 'Met een los wiel in je hand.'

'Ja? Wil je dat?' antwoordde ik, terwijl ik nadacht over zijn verzoek.

'Ik zag je net staan, toen je je verkleedde achter de wagen. Ik zie het wel voor me. Met de achterkant, hè?'

De achterkant. Mijn achterkant. Mijn reet. Mijn kont. Twee witte billen in Haveluy.

'Oké,' zei ik.

We bereidden ons voor. De fotograaf zocht zorgvuldig naar de juiste locatie. Ik stond tegen mijn oude Mercedes aangeleund, in afwachting van het teken dat ik me moest uitkleden.

Wielrenners zijn mensen met een ontwikkeld onderlichaam. De benen kennen nauwelijks rust tijdens de kilometers op de weg, de billen en de onderrug leveren een koers lang kracht en stabiliteit. Maar de schouders en het bovenlijf hangen er eigenlijk maar een beetje bij. Zwemmers hebben enorme bovenlichamen. Van achteren gezien lijkt een zwemmer een hoofdletter V op poten. Slechts een enkele renner toont in shirt met korte mouwen stevige armspieren. Hij zal wat harder aan het stuur kunnen rukken, maar daar win je geen wedstrijd mee. Alles draait om sterke bovenbenen en gespierde billen.

'Ik ben klaar,' zei de fotograaf. 'Als je het te koud krijgt, als ik een rolletje wissel, doe je mijn winterjas even aan.'

'Laat maar. Dat is te veel gedoe. Ik red het wel.'

Hij moest eens weten hoe ik kou haatte.

Ik ontdeed me van mijn wielerkleren. Als laatste trok ik mijn schoenen en kousen uit. Met een klein dribbelpasje liep ik naakt over de kasseien naar de plek die de fotograaf aanwees, ongeveer tien meter van de lens verwijderd. De modder kwam tussen mijn tenen door. Zwarte pindakaas.

De fotograaf begon te regisseren. Het wiel in mijn linkerhand, of nee, mijn rechterhand. Toch maar met twee handen. Of nee, boven mijn hoofd. Zwaaien met het wiel in één hand. Erop zitten. Achter me. Voor me.

We waren een kwartier verder. Ik prentte me in wat de fotograaf zou zien. Hij moest de pezige kuiten opmerken, die ik van mijn vader had geërfd. In de vriescellen van zijn bedrijf aan de Coolhaven in Rotterdam stond hij vroeger elke ochtend bij min 20 graden Celsius dozen te stapelen. Dozen met vlees, kroketten, ijs, patat. Merkwaardig, hoe ik als zoon van een diepvriesgroothandelaar een hekel had aan kou.

Met mijn blote voeten op de grond taxeerde ik de oude stenen. Onhandelbare krengen die lui op hun plek lagen en niet van plan leken ooit nog iets anders te doen. Ik voelde de oneffenheden door de eeltlaag onder mijn voeten heen.

Hoe moeilijk moest het zijn om met een snelheid van 50

kilometer per uur over deze kasseienstrook te fietsen? 'Met een zwaar verzet over de rug van het pad zweven,' beweerden de besten altijd. De Bretonse renner Bernard Hinault weigerde aanvankelijk aan Parijs–Roubaix te beginnen. Hij vond het een waanzinnige helletocht. Hinault was bang om te vallen en te verliezen. Vallen, verliezen. De grootste angsten van een renner. Naast betrapt worden op doping. Uiteindelijk won hij in 1981, eerzuchtig als hij was, de koers waarvan hij zo'n afkeer had.

De naaktfotosessie duurde inmiddels ruim een kwartier. De kou ging dwars door mijn huid heen naar mijn botten, zo leek het. Mijn billen begonnen te trillen. Alsof de fotograaf ze via stroom-stootjes op en neer liet schudden. Als ik mijn gewicht verplaats-te op een andere voet, was het getril even weg.

Mijn kruis maakte aanstalten beschutting te zoeken tegen de ijzige wind. Aan de lengte van een pik valt veel af te lezen, zeg-gen ze. Een pik is een thermostaat voor gevoel en temperatuur. Zo naar beneden kijkend, constateerde ik dat de omstandighe-den allesbehalve gerieflijk waren.

'Houden zo. Leunen op je linkerheup. Wiel iets meer langs je been.'

In Florence steunt Il David van Michelangelo al meer dan 500 jaar op zijn rechterbeen. Er zit een knik in zijn linkerknie, de rechterhand hangt een tikje geforceerd langs zijn dijbeen, de grote vingers gekromd. Hoelang had het model zo moeten po-seren voordat de beeldhouwer uitgebeiteld was op het marmer?

Mijn linkerbil trilde nu onophoudelijk. Alsof hij me achter mijn rug stond uit te lachen, in een onderonsje met de fotograaf.

'Kun je je hoofd meer laten hangen, maakt het iets triester. Ja. Zo.'

Een blote man, in zelfmoordgrijs niemandsland.

Onderkoelde mensen verliezen hun vermogen tot nadenken. Had ik gelezen. Ze krijgen waanideeën. Zo ver was ik nog niet. Kasseienstroken zijn niet gelegd voor eindeloze overpeinzing. In de verte bewoog de shovel. De grijper zakte naar beneden. Achter me hoorde ik het a-ritmische klikken van het fototoestel. De fotograaf moest mijn achterkant inmiddels ontelbaar keren hebben vastgelegd; ik stond hier een half uur. Hij had maar een paar seconden van die tijd op zijn rolletje staan. De rest was vervlogen.

Aan het geluid te horen kwam de tractor onze kant op. Een Franse boer viel niet uit te leggen wat we hier aan het doen waren. Een oude Mercedes met open deuren en achterklep, een fotograaf en een naakte man met een wiel in zijn hand. Ik zou meteen de streekpolitie bellen.

'Ik hou het bijna niet meer,' zei ik, terwijl ik met mijn rechterhand mijn zak tegen de kou beschermde. Mijn ballen kropen mijn onderbuik in, op zoek naar een warmer oord.

'Blijf nog heel even zo staan. Dit is mooi.'

Ik hield het niet meer. Het was mooi geweest.

'Zit er een goede bij?' vroeg ik de fotograaf.

Hij dacht van wel.

'Dan stoppen we ermee,' zei ik.

Ik liep op hem af, alsof het de normaalste zaak van de wereld was dat ik om half tien 's ochtends in de kou op een modderige kasseienstrook op zoek moest naar mijn kleding. Snel trok ik alles aan wat voorhanden was. Het maakte niet uit, als het maar warmte opleverde.

De motor draaide stationair om de verwarming op niveau te krijgen. Ik had een merkwaardige combinatie aan; wielerhandschoenen om mijn verkleumde vingers en gepoetste puntlaarzen aan mijn voeten.

De fiets en de koffer van de fotograaf lagen in de achterbak.

'Klaar?' vroeg ik.

'Ja. Perfect,' zei de fotograaf.

Ik zette de handpook op de D van 'drive'. We schommelden de kasseienstrook af, op naar de bewoonde wereld.

Na onze uitsluiting — we riepen op weg naar Roubaix nog duizend keer 'exclu!' — reden mijn wielercollega en ik de parkeerplaats op bij het vélodrome in Roubaix. Met onze perskaarten konden we naar binnen. Rond de wielerbaan zaten de tribunes vol fans. Ze waren in afwachting van de eerste renner. De Côte d'Azur, de blauwe strook onder in de betonnen baan, was van een nieuwe laag verf voorzien. Eén keer per jaar maakte de baan zich op, als een hoogbejaarde dame die voor het weerzien van een oude vlam in haar damestasje graait naar haar blauwe oogschaduw.

Na de wedstrijd liepen we met de renners mee die stapvoets naar het waslokaal reden. Ze gaven de fietsen af aan hun mecaniciens en gingen naar binnen. Het lokaal was een aftandse ruimte van tien bij vijftien meter. Iedere renner had zijn eigen douchehokje van granitomuurtjes. Zonder gêne trokken ze hun smerige kleding uit en stapten onder de douche.

Ik zag schaafwonden op heupen, knieën en armen. Handen met vloeibare zeep gleden er een paar keer overheen; dat moest pijnlijk steken. Rond de doucheputjes ontstonden draaikolken met water, modder, bloed en spuug. Geen renner die zich na zo'n wedstrijd nog druk maakte om het laten lopen van zijn pis. Het leek zelfs of deze plek, met die grauwe stenen muurtjes, ervoor bestemd was. Een rij varkens in afwachting van de slacht had in dit lokaal ook niet misstaan.

Er bleven achterblijvers binnenkomen. Besmeurd met de grijze modder uit de streek. Het waren verliezers met een verhaal waar bijna niemand naar vroeg. In de warme sporthal verderop zat de schoongespoelde winnaar in trainingspak al te praten met de pers.

De fotograaf en ik hadden de kasseien van Haveluy achter ons gelaten. We reden terug naar België. De verwarmingsknop op het dashboard stond op het dikste rode sterretje. Eindelijk kreeg ik het warmer. We reden de grens over. Weg uit Noord-Frankrijk.

'Mag de radio wat zachter? Dan bel ik even naar huis,' zei de fotograaf.

Luisteren naar zijn gesprek deed ik nauwelijks. Ik dacht terug aan de kasseienstrook van Haveluy. Gek dat je kou niet kunt onthouden. Alleen dát het koud was. Mijn kou stond op een zwartwitrolletje.

De fotograaf hing op. 'Thuis kunnen we patatten in look eten.'

'Lekker, ik sterf van de honger,' zei ik.

Via de achteruitkijkspiegel zag ik de grijze wolken. Het klokje van de auto gaf elf uur aan. Er was iets meer licht in de lucht, al was het niet veel. Langs de snelweg flitste een kerkhof aan ons voorbij.

'Kijk, die bloemen op de graven,' zei ik.

Ze waren fel op de grauwe dag. Ik vermoedde dat ze nep waren.

'Het is vandaag de dag van de doden,' zei de fotograaf.

'Wat?'

'De dag van de doden. Vandaag maken mensen het graf van een dierbare schoon en leggen er verse bloemen op.' Ik kon me niet herinneren ooit een bos bloemen op een graf gelegd te hebben.

De fotograaf en ik kwamen aan op de plek waar het eten in de koelkast stond. Stram stapten we uit de auto. In de keuken was het warm. De fotograaf zette de aardappels in de oven. Al snel rook het naar knoflook. Ik keek in een lange spiegel. Daar stond een man op laarzen in een lange wielerbroek, trui over trui.

De glazen ovenschotel kwam op tafel. De in de lengte opengesneden aardappels lagen sissend naast elkaar. De hete jus droop ertussenuit.

Straks zou in de ouderwetse doka mijn naakte ik de ontwikkelaar ingaan, op de dag van de doden. Langzaam, seconde voor seconde, zou ik uit het toverpapier tevoorschijn komen. Een levende man met een wiel op de kasseien. Snel. Fixeren. In het stopbad. Een renner op zoek naar het einde van de kasseienweg.

Een renner zonder kleren, zonder publiek, zonder eten en drinken, zonder warmte, zonder palmares.

Een renner van niets.

Verantwoording

De verhalen 'Mist op de Ventoux', 'Boer op de weg', 'Het voorwiel draaide nog', 'Tourtour' en 'Naakt met wiel' zijn speciaal voor deze uitgave geschreven.

Het verhaal 'Munkzwalm' werd in 2005 geschreven voor de opening van de tentoonstelling *Wielervolk* van fotograaf Marc Steculorum in Kunsthal Gent.

'De wetten van Post' is een bijdrage aan het boek *Op Rotterdamse latten* van Peter Ouwerkerk, De Buitenspelers 2007.

'Luipaard in zwart-wit' en 'Fietsen met Jan Janssen' verschenen in een eerdere versie in het literaire wielertijdschrift *De Muur*.

Het verhaal 'De centimeters van Merckx' is opgenomen in *Merckxissimo* (2009) van Jan Maes.

De overige verhalen verschenen tussen januari 2005 en april 2009 als column in NRC *Handelsblad*. Vanaf voorjaar 2006 werden ze tevens in *nrc.next* gepubliceerd.